2025

TAC税

税理士受験

36

所得税法

理論マスター

はじめに

理論問題の解答は、特に問題の要点を捉え、簡潔平明に書くことが肝要である。与えられた問題に対し、要件、取扱いなど必要な項目はもらさないようにする反面、問題に外れた事項まで触れることは避けなければならない。

１問当たり25分程度で解答するものとした場合 1,500字程度が限度であるため、各理論について原則としてその範囲に収めるように配慮した。

また、各理論にチェック表を付けたので、暗記スケジュールに役立てて欲しい。

最近の理論問題は、個別問題形式のみではなく応用問題形式の出題が顕著となっているが、基本となるのは条文を中心とした個別問題である。

それぞれの規定についての理解ができていれば、どのような出題形式で問われていても恐れるに足らない。

そこで本書「理論マスター」で基本理論を把握し、「理論ドクター」で応用力を養成して最近の出題傾向に対処する力を養ってもらいたい。

本書が、ひとりでも多くの合格者輩出の一助となれば幸いです。

※　本書は、令和６年７月までの施行法令に準拠している。

ＴＡＣ税理士講座

凡　　例

法	…………………	所得税法
令	…………………	所得税法施行令
措法	………………	租税特別措置法
措令	………………	租税特別措置法施行令
国通法	……………	国税通則法
災免法	……………	災害減免法
復財法	……………	復興財源確保法

引　用　例

法22③	……………	所得税法第22条第３項

本書を使用する際の注意点

1　テーマについて

法体系の確認がしやすいように、各理論問題については、テーマごとに分けて収録し、各テーマをページの上部に表示してあります。

また、各理論問題は、各テーマに属する枝番号（１－１等）で表示してあります。

法令の体系的な学習（応用理論対策等）に役立ててください。

2　ランクについて

各理論問題について、その科目を学習する上での重要度（ランク）を、理論問題のタイトルの横に表示してあります。

理論学習をする際の指針としてください。

ランクＡ　……　学習をするにあたって非常に重要度の高い理論問題
ランクＢ　……　学習をするにあたって比較的重要度の高い理論問題
ランクＣ　……　学習をするにあたって比較的重要度の低い理論問題

3　重要度について

各理論問題の中の各項目について、その理論問題の中での重要度を、項目のタイトルの横に表示してあります。

理論学習をする際の指針としてください。

◎　……　その理論問題の中で非常に重要度の高い項目
○　……　その理論問題の中で比較的重要度の高い項目
△　……　その理論問題の中で比較的重要度の低い項目

4　カッコ書きについて

本文中のカッコ書きについては、本文との区別がしやすいように文字の大きさを小さくして収録してあります。

まずは、カッコ書きを除いて文章を確認し、その後、カッコ書きを付け足す形で確認をすると学習しやすくなりますので、参考にしてください。

5　条文番号について

各理論の各項目について、参照して頂く条文番号を表示してありますが、条文番号については暗記（解答）する必要はありません。

CONTENTS

目　　次

テーマ１：総則関係

テーマ２：各種所得

テーマ３：事業所得等

テーマ４：譲渡所得等

テーマ５：課税標準

テーマ６：所得控除

テーマ７：税額計算等

テーマ８：予納制度

テーマ９：確定申告等

テーマ10：是正手続等

テーマ

1

総　則　関　係

1－1　納税義務者
1－1－1　非居住者の納税義務
1－2　実質所得者課税の原則
1－3　納税地
1－4　非課税所得
1－4－1　給与所得者の非課税
1－4－2　資産の譲渡による所得の非課税
1－5　特定新株予約権の行使に係る経済的利益の非課税
1－6　保険金・損害賠償金等を受け取った場合
1－6－1　損害賠償金を受け取った場合
1－6－2　損害保険金等を受け取った場合
1－6－3　生命保険金等を受け取った場合

1−1 納税義務者（法人である納税義務者を除く）

1　納税義務者の種類（法２①三～五、３、５）　重要度◎

所得税は、個人を居住者と非居住者に、さらに居住者を非永住者と非永住者以外の居住者に区分して納税義務を課している。

⑴　居住者とは、国内に住所を有し、又は現在まで引き続いて１年以上居所を有する個人をいう。

⑵　非永住者とは、居住者のうち、日本国籍を有しておらず、かつ、過去10年以内において国内に住所又は居所を有していた期間の合計が５年以下である個人をいう。

⑶　非居住者とは、居住者以外の個人をいう。

（注）公務員は、原則として、国内に住所を有しない期間についても国内に住所を有するものとみなす。

2　課税所得の範囲（法７、95、161）　重要度◎

⑴　非永住者**以外の**居住者

…　すべての所得

⑵　非永住者

…　国外源泉所得以外の所得及び国外源泉所得で国内で支払われ、又は国内に送金されたもの

⑶　非居住者

…　国内源泉所得

（注）国内源泉所得とは、恒久的施設帰属所得、国内にある土地建物等の譲渡の対価など、その源泉が国内にある所得として一定のものをいう。

国外源泉所得とは、その源泉が国外にある所得として一定のものをいう。

但し、租税条約により異なる定めがある場合は、その条約の定めるところによる。

3　課税方法（法21、22、164、165、169）　重要度◎

⑴　**居住者**

原則として、**総合課税の方法**による。

⑵　**非居住者**

①　**恒久的施設を有する非居住者の恒久的施設帰属所得**

居住者に準じて課税される。

なお、恒久的施設とは、非居住者の国内にある支店、工場などをいう。

②　**①以外の国内源泉所得**

イ　**国内にある資産の運用等**による所得は、**居住者に準じて課税**される。

ロ　その他の国内源泉所得は、**源泉分離課税の方法**による。

※　所得控除は、**雑損控除、寄附金控除及び基礎控除のみ**が適用される。

4　復興特別所得税（復財法８）　重要度○

所得税の納税義務者は、復興特別所得税の納税義務がある。

参　考

●　『国内源泉所得』の詳細

国内源泉所得とは、**恒久的施設帰属所得**、国内にある**土地建物等の譲渡の対価**、国内にある**不動産等の貸付けの対価**、日本国の国債、地方債又は内国法人が発行する債券の利子、**国内にある営業所**に預けられた預貯金の利子、**内国法人**から受ける配当等又は**国内における勤務等**による給与等など、その源泉が国内にある所得として一定のものをいう。

●　『原則として、総合課税の方法』の詳細

原則として**総合課税の方法**によるが、次に掲げる所得は、それぞれ次による。

⑴　上場株式等の配当所得等で一定のもの、土地建物等の譲渡所得、一般株式等に係る譲渡所得等、上場株式等に係る譲渡所得等、先物取引に係る雑所得等、山林所得、退職所得は、**分離課税の方法**による。

⑵　利子等、配当等などは、**源泉分離課税の方法**、**申告不要の特例**がある。

1－1－1　非居住者の納税義務（復興特別所得税を除く）

1　**意　義**（法２①三、五、３、５）

所得税は、個人を居住者と非居住者に区分して納税義務を課している。

⑴　非居住者とは、居住者以外の個人をいう。

⑵　居住者とは、国内に住所を有し、又は現在まで引き続いて１年以上居所を有する個人をいう。

（注）公務員は、原則として、国内に住所を有しない期間についても国内に住所を有するものとみなす。

2　**課税所得の範囲**（法７、161）

非居住者は、国内源泉所得について納税義務を有する。

なお、国内源泉所得とは、恒久的施設帰属所得、国内にある土地建物等の譲渡の対価、国内にある不動産等の貸付けの対価、日本国の国債、地方債又は内国法人が発行する債券の利子、国内にある営業所に預けられた預貯金の利子、内国法人から受ける配当等又は国内における勤務等による給与等など、その源泉が国内にある所得として一定のものをいう。

但し、租税条約により異なる定めがある場合は、その条約の定めるところによる。

3　**課税方法**（法21、22、164、165、169）

⑴　**恒久的施設を有する非居住者の恒久的施設帰属所得**

恒久的施設とは、非居住者の国内にある支店、工場などをいう。

恒久的施設を有する非居住者の恒久的施設帰属所得は、居住者に準じて、原則として、総合課税の方法による。

なお、次に掲げる所得は、それぞれ次による。

①　上場株式等の配当所得等で一定のもの、土地建物等の譲渡所得、一般株式等に係る譲渡所得等、上場株式等に係る譲渡所得等、先物取引に係る雑所得等、山林所得、退職所得は、分離課税の方法による。

②　利子等、配当等などは、源泉分離課税の方法、申告不要の特例がある。

⑵　⑴以外の国内源泉所得

非居住者の恒久的施設帰属所得以外の国内源泉所得は、それぞれ次による。

①　国内にある資産の運用等による所得は、居住者に準じて、原則として総合課税の方法による。

②　その他の国内源泉所得は、源泉分離課税の方法による。

⑶　所得控除

非居住者が確定申告する場合の所得控除は、雑損控除、寄附金控除及び基礎控除のみが適用される。

● **非居住者の源泉徴収**

非居住者が、**国内源泉所得**（一定のものを除く。）の支払いを受ける場合には、一定の金額が源泉徴収される。

[源泉徴収税率]

① 土地建物等の譲渡対価（注１）は、10%（10.21%）

② 不動産等の貸付け対価（注２）は、20%（20.42%）

③ 預貯金の利子等などは、15%(15.315%)

④ 配当等は、20%（20.42%）又は 15%(15.315%)

⑤ その他は、20%（20.42%）

（注１）譲渡対価が１億円以下で、**購入した個人の**居住用の場合は、源泉徴収の対象とならない。

（注２）**借りた個人の**居住用の場合は、源泉徴収の対象とならない。

● 非居住者の課税方法の整理（復興税込は、源泉徴収税率 × 102.1％）

国内源泉所得	恒久的施設帰属所得	そ　の　他
事業所得	**総　合　課　税** （源泉徴収なし）	**課　税　対　象　外**
株式等の譲渡対価	**株　　式　　等** （原則源泉徴収なし）	**原　則　課　税　対　象　外**
土地建物等の譲渡対価	**源泉徴収の上、分離課税** （源泉徴収　10％）	
不動産の賃貸料など	**源泉徴収の上、総合課税** （源泉徴収　20％）	
利子等	**源泉分離課税・申告分離課税等** （源泉徴収　15％）	**源　泉　分　離　課　税** （源泉徴収　15％）
配当等	**源泉徴収の上、原則総合課税** （源泉徴収　20％・15％）	**源　泉　分　離　課　税** （源泉徴収　20％・15％）
給与、公的年金等、 一定の報酬など	**源泉徴収の上、総合課税** （源泉徴収　20％）	**源　泉　分　離　課　税** （源泉徴収　20％）
退職手当等	**源泉徴収の上、分離課税** （源泉徴収　20％）	**源　泉　分　離　課　税** （源泉徴収　20％） **※　申告分離課税の特例**

※　所得控除

雑損控除（国内資産のみ）、**寄附金控除**及び**基礎控除**のみ適用される。

※　税額控除

原則として、**外国税額控除は、適用されない**。

1−2 実質所得者課税の原則

■趣　旨■

所得税は、応能負担の原則に応じた課税を行うために、名目にとらわれず、真に担税力を有する者に課税するための取扱いである。

1　原　則（法12）　重要度◎

資産又は事業から生ずる収益の法律上帰属するとみられる者が単なる名義人で、その収益を享受せず、その者以外の者がその収益を享受する場合には、その収益は、これを享受する者に帰属するものとして、所得税法の規定を適用する。

2　信託財産の帰属（法13）　重要度◎

信託の受益者は、その信託財産に属する資産及び負債を有するものとみなし、かつ、その信託財産に帰せられる収益及び費用は、信託の受益者の収益及び費用とみなして、所得税法の規定を適用する。

但し、一定の投資信託などは、受益者が収益の分配の受領時に、利子所得などとして課税する。

3　名義人受領の調書（法228）　重要度○

業務に関連して、名義人として利子配当等などの支払を受ける者は、その利子配当等などに関する調書を、その支払を受けた年の翌年１月31日までに、税務署長に提出しなければならない。

4　補完規定　重要度△

⑴　同一生計親族が事業から受ける対価（法56、57）

⑵　同族会社等の行為又は計算の否認（法157）

⑶　事業所の所得の帰属の推定（法158）

⑷　非居住者の恒久的施設帰属所得に係る行為計算の否認（法168の２）

参　考

●　信託財産等の帰属

信託の当事者は、**委託者**、**受託者**（信託銀行等）、**受益者**の**三者**である。

信託財産等の法的な権利者は、受託者である。

しかし、受託者は単に信託報酬を受けるのみで、その収益を実際に享受するのは受益者である。

したがって、受益者が信託財産等を有するものとみなし、信託財産に係る収益費用は、**収益・費用**発生時に、**受益者**の収益・費用とされる。

［土地信託の場合］

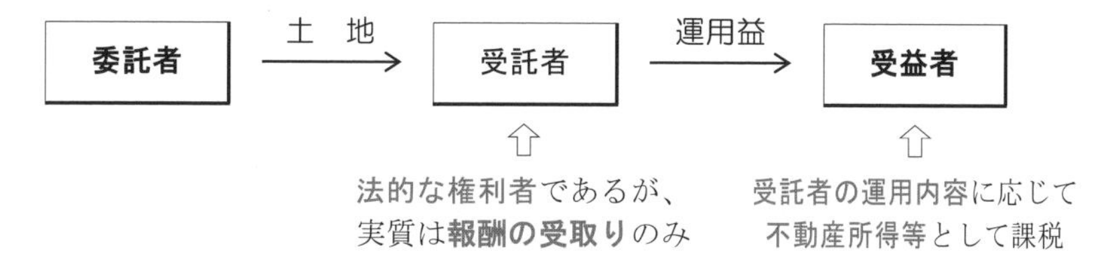

●　一定の投資信託などの特例

⑴　**証券投資信託等**　⇨　受領時に受益者に、利子所得等として課税

⑵　**退職年金等信託**　⇨　受領時に受益者に、退職所得等として課税
（国民年金基金信託、確定給付企業年金信託等）

⑶　**法人課税信託**　⇨　収益発生時に受託者に課税
受領時に受益者は、剰余金の配当として課税

1−3　納税地

1　意　義　重要度○

納税地とは、納税者が申告、納付等をする場合又は税務官庁が更正、決定等をする場合の基準となる場所をいう。

2　原則的納税地（法15）　重要度◎

⑴　国内に住所を有する場合

……その住所地

⑵　国内に住所を有せず、居所を有する場合

……その居所地

⑶　国内に住所及び居所を有しない場合

①　恒久的施設を有するとき

……その恒久的施設を通じて行う事業に係る事務所等の所在地

②　⑴又は⑵に該当していた者で、①に該当せず、かつ、納税地とされていた場所に親族等が居住しているとき

……その納税地とされていた場所

③　①及び②以外で、国内にある不動産の貸付等の対価を受けるとき

……その対価に係る資産の所在地

④　上記以外

……その者が選択した場所等

3　選択的納税地（法16）　重要度◎

⑴　国内に住所のほか居所を有する者

住所地に代え、居所地を納税地とすることができる。

⑵　国内に住所又は居所を有し、かつ、それ以外の場所に事業場等を有する者

住所地又は居所地に代え、事業場等の所在地を納税地とすることができる。

4　死亡した者の納税地（法16③）　重要度◎

死亡した者の納税地は、その死亡した者の死亡時における納税地とする。

５　源泉徴収に係る納税地（法17等）

重要度◎

源泉徴収に係る納税地は、その支払をする者の支払事務を取扱う事務所等のその支払の日における所在地とする。

但し、公社債の利子、内国法人が支払う剰余金の配当等は、その支払をする者の本店又は主たる事務所の所在地とする。

なお、特定公社債の利子等及び上場株式等の配当等は、国内における支払の取扱者を支払いをする者とみなす。

６　納税地の指定（法18）

重要度◎

納税地が不適当であると認められる場合には、国税局長又は国税庁長官が、納税地を指定し、書面により通知する。

７　指定の取消しがあった場合の申告等の効力（法19）

重要度○

納税地指定処分の取消しがあった場合においても、その取消前の納税地における申告等の効力には影響を及ぼさない。

８　復興特別所得税（復財法11）

重要度○

復興特別所得税の納税地は、所得税の納税地とする。

非課税所得

■趣　旨■

所得税は、個人が稼得した所得のうち、担税力の調整又は政策的な見地などから、非課税所得が規定されている。

なお、所得のうち非課税所得以外のものが課税所得とされ、10種類の各種所得に区分して課税している。

1　利子所得関係（法10、措法4、4の2、4の3、5）　重要度○

(1)　障害者等の元本350万円以下の預貯金、公社債等の利子等で一定の手続をしたもの

(2)　障害者等の元本350万円以下の公債の利子で一定の手続をしたもの

(3)　元本550万円以下の財形貯蓄（住宅又は年金に限る。）の利子等で一定の手続をしたもの

(4)　納税準備預金の利子（租税納付目的以外に引出された期間の利子を除く。）など

2　配当所得関係（法9①十一、措法9の8、9の9）　重要度○

(1)　オープン型の証券投資信託の収益の分配のうち元本払戻金（特別分配金）

(2)　非課税口座内上場株式等の配当等など

3　給与所得関係（法9①四～八、措法29の2）　重要度○

(1)　出張旅費等で通常必要と認められるもの

(2)　通勤手当のうち通常必要と認められるもの

(3)　制服等の現物給与で、その職務の性質上欠くことのできないもの

(4)　国外勤務者の在外手当

(5)　外国政府等に勤務する特定の者の給与

(6)　特定新株予約権の行使に係る経済的利益など

4　退職所得関係（法9①十七）　重要度○

相続又は遺贈により取得したものとみなされる退職手当金等

5　譲渡所得等関係

（法９①九、十、措法37の14、40、40の２、40の３）

重要度◎

⑴　生活に通常必要な動産（１個又は１組の価額が30万円超の宝石等、書画、骨とう及び美術工芸品を除く。）の譲渡による所得

⑵　強制換価手続による資産（棚卸資産等を除く。）の譲渡による所得

⑶　国等に対する資産の贈与又は遺贈による所得

⑷　国等に対する重要文化財の譲渡による所得

⑸　相続税の物納による所得

⑹　非課税口座内上場株式等の譲渡による所得など

6　一時所得関係（法９①十八等）

重要度○

⑴　相続、遺贈又は個人からの贈与により取得するもの

⑵　身体の傷害に基因して支払を受ける保険金等及び心身に加えられた損害につき支払を受ける慰謝料その他の損害賠償金

⑶　資産に加えられた損害につき支払を受ける保険金、損害賠償金等

⑷　当せん金付証票法による当せん金付証票の当せん金品など

7　雑所得関係（法９①三等）

重要度○

⑴　増加恩給（これに併給される普通恩給を含む。）及び傷病賜金等

⑵　遺族恩給及び遺族年金（死亡した者の勤務に基づいて支給されるものに限る。）

⑶　心身障害者扶養共済制度に基づいて受ける年金など

1－4－1 給与所得者の非課税

1 出張旅費等（法９①四）

給与所得者が出張若しくは転勤をした場合又は就職若しくは退職した者が転居した場合の旅費等で、通常必要であると認められるものは、非課税とされる。

2 一定の通勤手当（法９①五）

通勤する給与所得者が通勤に必要な交通機関の利用等のための通勤手当のうち、通常必要であると認められるものは、非課税とされる。

3 制服等の現物給与（法９①六）

給与所得者が使用者から受ける制服等の現物給与で、その職務の性質上欠くことのできないものは、非課税とされる。

4 在外手当（法９①七）

国外勤務者の受ける一定の在外手当は、非課税とされる。

5 外国政府等に勤務する特定の者の給与（法９①八）

外国政府等に勤務する特定の者の給与等は、非課税とされる。

6 特定新株予約権の行使に係る経済的利益（措法29の２）

株式会社の取締役、執行役又は使用人等が、会社との契約により与えられた新株予約権で一定の要件を満たすもの（特定新株予約権）を行使して株式を取得した場合の経済的利益は、非課税とされる。

1－4－2　資産の譲渡による所得の非課税

1　生活に通常必要な動産（法９①九）

自己又はその親族が生活の用に供する家具、衣服等の動産で一定のものの譲渡による所得は、非課税とされる。

2　強制換価手続（法９①十）

資力を喪失して債務を弁済することが著しく困難である場合における強制換価手続による資産（棚卸資産等を除く。）の譲渡による所得は、非課税とされる。

3　国等に対する財産の贈与等（措法40）

譲渡所得の基因となる資産等を国、地方公共団体及び特定の公益法人等に対し贈与又は遺贈した場合には、その贈与又は遺贈はなかったものとみなす。

4　重要文化財（措法40の２）

個人が、重要文化財を国及び地方公共団体等に譲渡した場合の所得は、非課税とされる。

5　物　納（措法40の３）

個人が、相続財産を物納した場合の所得は、非課税とされる。

6　非課税口座内上場株式等の譲渡による所得（措法37の14）

居住者が、非課税口座内上場株式等を譲渡した場合には、その譲渡による所得については非課税とされる。

1-5 特定新株予約権の行使に係る経済的利益の非課税

■趣　旨■

給与所得者の新株予約権の権利行使による経済的利益は、原則として給与所得として課税されるが、一時に課税すると、取得した株式を納税資金捻出のために売却せざるを得ないことから、一定要件を満たした場合は、非課税とされる。

1　内　容（措法29の２①）　重要度○

株式会社の取締役、執行役又は使用人（大口株主等を除く。）等が、その会社との契約により与えられた新株予約権で、次の要件を満たすもの（特定新株予約権）を行使して株式を取得した場合の経済的利益は、非課税とされる。

⑴　付与決議日から２年超10年以内（設立後５年未満などの要件を満たす会社は15年以内）に権利行使を行うこと

⑵　権利行使価額の年間合計額が1,200万円（一定の会社は、2,400万円又は3,600万円）以下であること

⑶　取得した株式は、一定の金融商品取引業者等の営業所等に保管の委託等又はその権利行使に係る会社により管理等がされることなど

2　経済的利益の価額（令84）　重要度△

経済的利益の価額は、権利行使時における株式の価額から払込金額を控除した金額による。

3　手　続（措法29の２②）　重要度△

権利行使の際、一定の書面をその会社に提出等しなければならない。

4　株式を譲渡した場合　重要度△

上記１により取得した株式を譲渡した場合は、払込金額を取得価額とした上で、一般又は上場株式等に係る譲渡所得等の金額として課税される。

５　保管の委託等を解約等した場合（措法29の２④）

重要度△

上記１⑶の保管の委託等又は会社による管理等を解約等した場合には、その株式を、**その時の価額**により**譲渡**したものとみなし、**その時の価額**により**取得**したものとみなす。

保険金·損害賠償金等を受け取った場合

（注）源泉分離課税とされるものを除く

1　非課税とされる場合（法９①十七、十八、令30）　重要度◎

次の保険金、損害賠償金等は、所得税を課さない。

但し、必要経費に算入される金額を補てんするためのものを除く。

⑴　相続、遺贈又は個人からの贈与により取得したものとみなされる保険金

⑵　損害保険契約に基づく保険金及び生命保険契約に基づく給付金等で、身体の傷害に基因して支払を受けるもの（その損害に基因して勤務又は業務に従事できなかったことによる給与又は収益の補償を含む。以下、⑶において同じ。）

⑶　心身の損害につき支払を受ける慰謝料その他の損害賠償金

⑷　損害保険契約に基づく保険金で資産の損害に基因して支払を受けるもの（下記２⑴に該当するものを除く。以下、⑸において同じ。）

⑸　不法行為その他突発的な事故により資産の損害につき支払を受ける損害賠償金

⑹　心身又は資産の損害につき支払を受ける相当の見舞金（下記２⑴に該当するものなどを除く。）

2　課税される場合　重要度◎

⑴　事業所得等とされる場合（令94、法90、令８）

不動産所得、事業所得、山林所得又は雑所得を生ずべき業務を行う者が支払を受ける次の保険金、損害賠償金等でこれらの所得に係る収入金額に代わる性質を有するものは、これらの所得に係る収入金額とする。

①　棚卸資産（準棚卸資産を含む。）、山林、工業所有権等の損害につき支払を受けるもの

なお、山林の資産損失に係るものは、損失額を超える部分の金額に限る。

②　業務の全部又は一部の休止、転換、廃止等の事由によりその業務の収益の補償として支払を受けるもの

なお、このうち３年以上の期間の業務に係る収益の補償として支払を受けるものは臨時所得とされ、一定の要件に該当するときは、平均課税による税額計算の適用がある。

⑵　譲渡所得とされる場合（令95）

契約に基づき又は資産の消滅を伴う事業の遂行により譲渡所得の基因となるべき資産が消滅したことにより一時に支払を受ける補償金等は、譲渡所得に係る収入金額とする。

⑶　一時所得とされる場合

生命保険契約に基づく一時金及び損害保険契約に基づく満期返戻金等は、一時所得に係る収入金額とする。

⑷　雑所得とされる場合

生命保険契約及び損害保険契約に基づく年金は、雑所得に係る収入金額とする。

3　資産損失額等の計算上控除される場合（法51、73等）　重要度◎

資産（棚卸資産等を除く。）に損失が生じた場合又は医療費控除の対象となる医療費を支払った場合において、その損失額又は医療費を補てんするものとして支払を受ける保険金、損害賠償金等は、その損失額又は医療費の額の計算上控除する。

1－6－1 損害賠償金を受け取った場合

1 非課税とされる場合（法9①十八、令30）

次の損害賠償金は、所得税を課さない。

但し、必要経費に算入される金額を補てんするためのものを除く。

⑴ 心身の損害につき支払を受ける慰謝料その他の損害賠償金（その損害に基因して勤務又は業務に従事できなかったことによる給与又は収益の補償を含む。）

⑵ 不法行為その他突発的な事故により資産の損害につき支払を受ける損害賠償金（下記2⑴に該当するものを除く。）

2 課税される場合

⑴ 事業所得等とされる場合（令94、法90、令8）

不動産所得、事業所得、山林所得又は雑所得を生ずべき業務を行う者が支払を受ける次の損害賠償金でこれらの所得に係る収入金額に代わる性質を有するものは、これらの所得に係る収入金額とする。

① 棚卸資産（準棚卸資産を含む。）、山林、工業所有権等の損害につき支払を受ける損害賠償金

なお、山林の資産損失に係るものは、損失額を超える部分の金額に限る。

② 業務の全部又は一部の休止、転換、廃止等の事由によりその業務の収益の補償として支払を受ける損害賠償金

なお、このうち3年以上の期間の業務に係る収益の補償として支払を受けるものは臨時所得とされ、一定の要件に該当するときは、平均課税による税額計算の適用がある。

⑵ 譲渡所得とされる場合（令95）

契約に基づき又は資産の消滅を伴う事業の遂行により譲渡所得の基因となるべき資産が消滅したことにより一時に支払を受ける補償金等は、譲渡所得に係る収入金額とする。

3 資産損失額等の計算上控除される場合（法51、73等）

資産（棚卸資産等を除く。）に損失が生じた場合又は医療費控除の対象となる医療費を支払った場合において、その損失額又は医療費を補てんするものとして支払を受ける損害賠償金は、その損失額又は医療費の額の計算上控除する。

●　損害賠償金の組み合わせ

１　心身の損害

⑴　**治療費の補てん**

［１］で非課税　＋　［３］で医療費の額から控除

⑵　**慰謝料等**

［１］で非課税

⑶　**給与又は収益の補償等**

［１］で非課税

⑷　**必要経費に算入される金額**（家賃など）**を補てんするためのもの**

［１］の但し書きで課税

２　資産の損害

⑴　**棚卸資産**

［２］⑴①で課税

⑵　**山　林**

- ［２］⑴①なお書きで、損失額を超えた部分のみ課税
- 損失額までは、［１］で非課税　＋　［３］で損失額から控除

⑶　**固定資産等**

［１］で非課税　＋　［３］で損失額から控除

※　**契約等による消滅に伴う補償金等**（建物取壊補償金等）**は**譲渡所得

⑷　**収益の補償**

［２］⑴②で課税

⑸　**必要経費に算入される金額**（家賃など）**を補てんするためのもの**

［１］の但し書きで課税（上記１⑷と同様）

1−6−2 損害保険金等を受け取った場合（源泉分離課税のものを除く）

1 非課税とされる場合（法９①十七、十八、令30）

次の損害保険金は、所得税を課さない。

但し、必要経費に算入される金額を補てんするためのものを除く。

⑴ 相続、遺贈又は個人からの贈与により取得したものとみなされる損害保険金

⑵ 損害保険契約に基づく保険金で、身体の傷害に基因して支払を受けるもの（その損害に基因して勤務又は業務に従事できなかったことによる給与又は収益の補償を含む。）

⑶ 損害保険契約に基づく保険金で資産の損害に基因して支払を受けるもの（下記２⑴に該当するものを除く。）

2 課税される場合

⑴ 事業所得等とされる場合（令94、法90、令８）

不動産所得、事業所得、山林所得又は雑所得を生ずべき業務を行う者が支払を受ける次の損害保険金でこれらの所得に係る収入金額に代わる性質を有するものは、これらの所得に係る収入金額とする。

① 棚卸資産（準棚卸資産を含む。）、山林、工業所有権等の損害につき支払を受けるもの

なお、山林の資産損失に係るものは、損失額を超える部分の金額に限る。

② 業務の全部又は一部の休止、転換、廃止等の事由によりその業務の収益の補償として支払を受けるもの

なお、このうち３年以上の期間の業務に係る収益の補償として支払を受けるものは臨時所得とされ、一定の要件に該当するときは、平均課税による税額計算の適用がある。

⑵ 一時所得とされる場合

損害保険契約に基づく満期返戻金等は、一時所得に係る収入金額とする。

⑶ 雑所得とされる場合

損害保険契約に基づく年金は、雑所得に係る収入金額とする。

3 資産損失額等の計算上控除される場合（法51、73等）

資産（棚卸資産等を除く。）に損失が生じた場合又は医療費控除の対象となる医療費を支払った場合において、その損失額又は医療費を補てんするものとして支払を受ける損害保険金は、その損失額又は医療費の額の計算上控除する。

1－6－3　生命保険金等を受け取った場合（源泉分離課税のものを除く）

1　**非課税とされる場合**（法9①十七、十八、令30）

次の生命保険金等は、所得税を課さない。

但し、必要経費に算入される金額を補てんするためのものを除く。

(1)　相続、遺贈又は個人からの贈与により取得したものとみなされる生命保険金

(2)　生命保険契約に基づく給付金等で、身体の傷害に基因して支払を受けるもの（その損害に基因して勤務又は業務に従事できなかったことによる給与又は収益の補償を含む。）

2　**課税される場合**

(1)　**一時所得とされる場合**

生命保険契約に基づく一時金は、一時所得に係る収入金額とする。

(2)　**雑所得とされる場合**

生命保険契約に基づく年金は、雑所得に係る収入金額とする。

3　**医療費控除額の計算上控除される場合**（法73）

医療費控除の対象となる医療費を支払った場合において、その医療費を補てんするものとして支払を受ける給付金等は、その医療費の額の計算上控除する。

(MEMO)

テーマ

2

各種所得

2−1 各種所得の意義及び所得の金額

1　利子所得（法23）　重要度○

⑴　利子所得とは、公社債及び預貯金の利子並びに合同運用信託、公社債投資信託及び公募公社債等運用投資信託の収益の分配（以下「利子等」という。）に係る所得をいう。

⑵　利子所得の金額は、その年中の利子等の収入金額とする。

2　配当所得（法24）　重要度◎

⑴　配当所得とは、法人から受ける剰余金の配当、利益の配当、剰余金の分配、金銭の分配、基金利息並びに投資信託（公社債投資信託及び公募公社債等運用投資信託を除く。）及び特定受益証券発行信託の収益の分配（以下「配当等」という。）に係る所得をいう。

⑵　配当所得の金額は、その年中の配当等の収入金額から配当所得を生ずべき元本を取得するための負債の利子の額を控除した金額とする。

3　不動産所得（法26）　重要度○

⑴　不動産所得とは、不動産、不動産の上に存する権利、船舶又は航空機の貸付け（借地権の設定等を含む。）による所得（事業所得又は譲渡所得に該当するものを除く。）をいう。

⑵　不動産所得の金額は、その年中の不動産所得に係る総収入金額から必要経費を控除した金額とする。

4　事業所得（法27）　重要度○

⑴　事業所得とは、農業、漁業、製造業、卸売業、小売業、サービス業その他の事業で一定のものから生ずる所得（山林所得又は譲渡所得に該当するものを除く。）をいう。

⑵　事業所得の金額は、その年中の事業所得に係る総収入金額から必要経費を控除した金額とする。

5　給与所得（法28）

重要度◎

⑴　給与所得とは、俸給、給料、賃金、歳費及び賞与並びにこれらの性質を有する給与（以下「給与等」という。）に係る所得をいう。

⑵　給与所得の金額は、その年中の給与等の収入金額から給与所得控除額を控除した残額とする。

6　退職所得（法30）

重要度◎

⑴　退職所得とは、退職手当、一時恩給その他の退職により一時に受ける給与及びこれらの性質を有する給与（以下「退職手当等」という。）に係る所得をいう。

⑵　退職所得の金額は、その年中の退職手当等の収入金額から退職所得控除額を控除した残額の２分の１に相当する金額とする。

7　山林所得（法32）

重要度○

⑴　山林所得とは、山林の伐採又は譲渡による所得をいう。

但し、山林をその取得の日以後５年以内に伐採し又は譲渡することによる所得は、事業所得又は雑所得とする。

⑵　山林所得の金額は、その年中の山林所得に係る総収入金額から必要経費を控除し、その残額から山林所得の特別控除額（最高50万円）を控除した金額とする。

8　譲渡所得（法33）

重要度○

⑴　譲渡所得とは、資産の譲渡による所得（棚卸資産等の譲渡及び山林の伐採又は譲渡による所得を除く。）をいう。

⑵　譲渡所得の金額は、その年中の譲渡所得に係る総収入金額から取得費及び譲渡費用の額の合計額を控除し、その残額の合計額から譲渡所得の特別控除額（最高50万円）を控除した金額とする。

9　一時所得（法34）　重要度○

⑴　一時所得とは、利子所得、配当所得、不動産所得、事業所得、給与所得、退職所得、山林所得及び譲渡所得以外の所得のうち、営利を目的とする継続的行為から生じた所得以外の一時の所得で労務その他の役務又は資産の譲渡の対価としての性質を有しないものをいう。

⑵　一時所得の金額は、その年中の一時所得に係る総収入金額からその収入を得るために支出した金額の合計額を控除し、その残額から一時所得の特別控除額（最高50万円）を控除した金額とする。

10　雑所得（法35）　重要度○

⑴　雑所得とは、利子所得、配当所得、不動産所得、事業所得、給与所得、退職所得、山林所得、譲渡所得及び一時所得のいずれにも該当しない所得をいう。

⑵　雑所得の金額は、次に掲げる金額の合計額とする。

①　その年中の公的年金等の収入金額から公的年金等控除額を控除した残額

②　その年中の雑所得（公的年金等に係るものを除く。）に係る総収入金額から必要経費を控除した金額

●　各種所得の区分意味

配当金や家賃収入のように資産を持っていれば得られる所得もあれば、給料のように働いて得る所得や退職金のように老後の生活保障を考えなければならない所得もある。

このような各種の所得を画一的な方法で所得計算したのでは、担税力に応じた課税ができないため、課税対象所得を発生形態別に10種類の各種所得に区分してそれぞれの性質に応じた所得計算**（質的担税力に応じた課税）**を行うものである。

●　経常所得と非経常所得

経常所得（利子所得、配当所得、不動産所得、事業所得、給与所得、雑所得）は特別な負担軽減措置はないが、**非経常所得**（退職所得、山林所得、譲渡所得、一時所得）は、担税力が弱いため、特別な負担軽減措置がある。（P. 115参照）。

参　考

●　各種所得の金額（課税標準等を含む）の計算の意味

１　利子所得

利子収入を得るために特に必要な経費はないため、収入金額から控除する概念はない。

２　配当所得

株式の値上り等を期待して借入金をもって株式を取得することが考えられるため、元本を取得するための借入金の利子は控除できる。

３　給与所得

給与収入を得るためにも必要経費はあるが、その実額を把握することは困難である等の理由から、概算経費としての給与所得控除額を控除する。

４　退職所得

退職手当等に必要経費はないが、永年の勤務の成果が一時に実現したものであること及び老後の生活保障等の観点から、税負担の緩和を図るため、次のような取扱いがある。

①　勤続年数に応ずる退職所得控除額（一種の特別控除）

②　各種所得の金額の計算上２分の１する

③　別課税標準で分離課税（税負担の緩和）

５　山林所得

永年の育成の成果が一時に実現したものであることによる税負担の緩和を図るため、次のような取扱いがある。

①　50万円の特別控除

②　別課税標準で分離課税（５分５乗方式による税負担の緩和）

６　譲渡所得

譲渡課税の本質は保有期間中の値上益についての課税をしようとするものであるため、総収入金額からは取得費と譲渡費用のみ控除する。

また、非経常所得であり、税負担の緩和を図るため、次のような取扱いがある。

①　50万円の特別控除

②　長期保有の場合は、２分の１して総合課税

７　一時所得

支出した金額については収入金額との因果関係が薄いため、収入金額に直接対応するものに限定されている。

また、非経常所得であり、税負担の緩和を図るため、次のような取扱いがある。

①　50万円の特別控除

②　２分の１して総合課税

８　雑所得（公的年金等）

年金生活者に対する配慮等から公的年金等控除額を控除して所得の金額を計算する。

※　不動産所得、事業所得及びその他の雑所得は、特別な仕組みはない。

テーマ 2　各種所得　　ランク A

2−2 利子所得

1　意　義（法23）　重要度◎

利子所得とは、公社債及び預貯金の利子並びに合同運用信託、公社債投資信託及び公募公社債等運用投資信託の収益の分配（以下「利子等」という。）に係る所得をいう。

2　非課税（法10、措法4、4の2、4の3、5）　重要度◎

次の利子等に係る所得は、所得税を課さない。

⑴　障害者等の元本350万円以下の預貯金、公社債等の利子等で一定の手続をしたもの

⑵　障害者等の元本350万円以下の公債の利子で一定の手続をしたもの

⑶　元本550万円以下の財形貯蓄（住宅又は年金に限る。）の利子等で一定の手続をしたもの

⑷　納税準備預金の利子（租税納付目的以外に引出された期間の利子を除く。）など

3　所得の金額（法23、36）　重要度◎

⑴　利子所得の金額は、その年中の利子等の収入金額とする。

⑵　その年分の利子所得の金額の計算上収入金額とすべき金額は、原則として、その年において収入すべき金額（金銭以外の物又は権利その他経済的な利益をもって収入する場合には、その物等のその取得等する時における価額）とする。

但し、無記名公社債の利子等は、その年において支払を受けた金額とする。

4　課税方法（法22、89、措法3、8の4、8の5）　重要度◎

⑴　申告分離課税

次の利子等は、他の所得と区分し、上場株式等に係る配当所得等の金額（課税所得金額は、上場株式等に係る課税配当所得等の金額）として、その15%の税率により所得税が課税される。

なお、源泉徴収税額は、確定申告により精算される。

①　特定公社債（国債、地方債、公募公社債など）の利子

②　公募公社債投資信託の収益の分配

③　公募公社債等運用投資信託の収益の分配など

⑵　**申告不要**

上記⑴の利子等は、確定申告しないことができる。

この場合には、源泉徴収税額だけで課税関係が完結する。

⑶　**総合課税**

特定公社債以外の公社債の利子（私募債の利子）で、その支払法人の同族株主等が支払を受けるものは、他の所得と総合して総所得金額を構成し、超過累進税率により所得税が課税される。

なお、源泉徴収税額は、確定申告により精算される。

⑷　**源泉分離課税**

その他の利子等（上記⑶以外の私募債の利子、預貯金の利子、合同運用信託の収益の分配、私募公社債投資信託の収益の分配など）は、源泉徴収税額だけで課税関係が完結する。

5　源泉徴収（法181、182）　重要度○

居住者が国内において利子等の支払を受ける場合には、その支払を受ける際、利子等の額の15%相当額の所得税が源泉徴収される。

6　復興特別所得税（復財法12、13、17、28）　重要度○

⑴　源泉徴収税額には、所得税額の2.1%の復興特別所得税額が含まれる。

⑵　所得税の確定申告書を提出する者は、基準所得税額の2.1%の復興特別所得税が課税され、⑴の源泉徴収税額は、原則として、確定申告により精算される。

参　考

● **利子所得の課税方法**

⑴　**預貯金の利子など**　…………　源泉分離課税

⑵　**特定公社債の利子など**　…………　申告分離課税又は申告不要

⑶　**私募債の利子でその同族株主等が支払いを受けるもの**　…………　総合課税

⑷　**私募債の利子で、上記⑶以外のもの**　…………　源泉分離課税

2-3 配当所得

1　意　義（法24、25）　重要度◎

⑴　配当所得とは、法人から受ける剰余金の配当、利益の配当、剰余金の分配、金銭の分配、基金利息並びに投資信託（公社債投資信託及び公募公社債等運用投資信託を除く。）及び特定受益証券発行信託の収益の分配（以下「配当等」という。）に係る所得をいう。

⑵　解散、合併等による交付金銭等の額のうち一定の金額は、剰余金の配当等とみなす。

2　非課税（法9①十一、措法9の8、9の9）　重要度◎

次の配当等に係る所得は、所得税を課さない。

⑴　オープン型の証券投資信託の収益の分配のうち元本払戻金（特別分配金）

⑵　非課税口座内上場株式等の配当等など

3　所得の金額の計算（法24、36）　重要度◎

⑴　配当所得の金額は、その年中の配当等の収入金額から配当所得を生ずべき元本を取得するための負債の利子の額を控除した金額とする。

⑵　その年分の配当所得の金額の計算上収入金額とすべき金額は、原則として、その年において収入すべき金額（金銭以外の物又は権利その他経済的な利益をもって収入する場合には、その物等のその取得等する時における価額）とする。

但し、無記名株式等の配当等は、その年において支払を受けた金額とする。

4　課税方法（法22、89、措法8の2、8の4、8の5）　重要度◎

⑴　**総合課税**

配当所得の金額は、原則として、他の所得と総合して総所得金額を構成し、超過累進税率により所得税が課税される。

なお、源泉徴収税額は、確定申告により精算される。

⑵　**源泉分離課税**

私募公社債等運用投資信託の収益の分配などに係る配当等は、源泉徴収税額だけで課税関係が完結する。

⑶　**申告分離課税**

次の配当等は、申告を要件に、**他の所得と区分**し、上場株式等に係る配当所得等の金額（課税所得金額は、上場株式等に係る課税配当所得等の金額）として、その**15%の税率**により所得税が課税される。

なお、**源泉徴収税額**は、**確定申告により精算**される。

①　**上場株式等**の配当等（持株割合が３％以上のものを除く。）

②　**公募投資信託**の収益の分配

③　**特定投資法人の投資口**の配当等など

⑷　**申告不要**

次の**配当等**は、確定申告しないことができる。

この場合には、**源泉徴収税額**だけで**課税関係が完結**する。

①　上記⑶の配当等

②　上記⑵及び⑶以外の配当等で、**１回の支払金額**が、**10万円**（計算期間が１年でないときは、月数であん分した金額）以下であるもの

5　源泉徴収（法181、182、措法９の３）　重要度○

居住者が国内において配当等の**支払を受ける場合**には、その**支払を受ける際**、配当等の額の**20%**（**上記４の⑵及び⑶**の配当等は、15%）相当額の所得税が源泉徴収される。

6　配当控除（法92、措法９）　重要度○

居住者が**内国法人**から受ける**剰余金の配当等又は一定の証券投資信託の収益の分配**に係る配当所得で**総合課税**されるものについては、原則として**配当所得の金額の10%**相当額を配当控除として所得税額から控除する。

7　復興特別所得税（復財法12、13、17、28）　重要度○

⑴　源泉徴収税額には、**所得税額の2.1%**の復興特別所得税額が含まれる。

⑵　所得税の確定申告書を提出する者は、**基準所得税額**の**2.1%**の復興特別所得税が課税され、⑴の源泉徴収税額は、原則として、**確定申告**により**精算**される。

● 配当所得の課税方法等

1　源泉徴収と課税方法（源泉分離課税のものを除く）

<table>
<tr><th></th><th>源泉徴収</th><th colspan="2">課　税　方　法</th></tr>
<tr><td rowspan="3">上場株式等</td><td rowspan="3">15.315%
(20.315%)</td><td colspan="2">総合課税（原則・配当控除ができる）</td></tr>
<tr><td colspan="2">申告不要（実務で一般的）</td></tr>
<tr><td colspan="2">申告分離課税（上場株式等の譲渡損がある場合等）</td></tr>
<tr><td rowspan="3">非上場株式等</td><td rowspan="3">20.42%</td><td>10万円超</td><td>総合課税（強制・配当控除ができる）</td></tr>
<tr><td rowspan="2">10万円以下</td><td>総合課税（原則・配当控除ができる）</td></tr>
<tr><td>申告不要</td></tr>
</table>

2　上場株式等の配当所得の課税方法等の整理

課税方法	負債利子	上場株式等の譲渡損と損益通算等	税　率	配当控除	源泉の精算
総　合	○	×	超過累進税率	○	する
申告分離	○	○	15%（15.315%）	×	する
申告不要	×	×	15%（15.315%）	×	しない

●　上場株式等に係る配当所得等の金額（課税標準）

１　内　容

次の利子等又は配当等（申告を要件）は、他の所得と区分し、上場株式等に係る配当所得等の金額（課税所得金額は、上場株式等に係る課税配当所得等の金額）として、その15%の税率により所得税が課税される。

なお、源泉徴収税額は、確定申告により精算される。

⑴　対象となる利子所得

①　特定公社債（国債、地方債、公募公社債など）の利子

②　公募公社債投資信託の収益の分配

③　公募公社債等運用投資信託の収益の分配など

なお、これらの利子等は、申告不要と選択適用とされる。

⑵　対象となる配当所得

①　上場株式等の配当等（持株割合が３％以上のものを除く。）

②　公募投資信託の収益の分配

③　特定投資法人の投資口の配当等など

なお、これらの配当等は、総合課税又は申告不要と選択適用とされる。

また、申告分離課税を選択した場合には、配当控除の適用はない。

２　所得の金額（法23、24、36）

２－２　２－３参照

３　上場株式等の譲渡損失の金額がある場合

⑴　損益通算

確定申告書を提出する居住者のその年分の上場株式等に係る譲渡損失の金額は、その年分の上場株式等に係る配当所得等の金額の計算上控除する。

⑵　繰越控除

確定申告書を提出する居住者のその年の前年以前３年内の各年において生じた上場株式等に係る譲渡損失の金額は、その年分の上場株式等に係る譲渡所得等の金額及び上場株式等に係る配当所得等の金額の計算上控除する。

４　源泉徴収（法181、182、措法９の３）

２－２　２－３参照

2−4 不動産所得

1　意　義（法26①、令79）　重要度◎

不動産所得とは、不動産、不動産の上に存する権利、船舶又は航空機の貸付け（借地権の設定等を含む。）による所得（事業所得又は譲渡所得に該当するものを除く。）をいう。

2　不動産所得の金額（法26、36、37、措法25の２）　重要度◎

⑴　不動産所得の金額は、その年中の不動産所得に係る**総収入金額**から**必要経費**を控除した金額とする。

なお、青色申告者は、上記の金額から**青色申告特別控除額**を控除した金額とする。

⑵　その年分の不動産所得の金額の計算上**総収入金額に算入すべき金額**は、原則として、**その年において収入すべき金額**（金銭以外の物又は権利その他経済的な利益をもって収入する場合には、**その物等のその取得等する時**における価額）とする。

⑶　その年分の不動産所得の金額の計算上**必要経費に算入すべき金額**は、原則として、その総収入金額を得るため**直接に要した費用の額及び**その年における一般管理費その他不動産所得を生ずべき業務について生じた費用（償却費以外の費用でその年において**債務の確定しないもの**を除く。）の額とする。

3　課税方法（法22、69、70、89）　重要度○

⑴　不動産所得の金額は、**他の所得と総合して総所得金額を構成し、超過累進**税率により所得税が課税される。

⑵　不動産所得の金額の計算上生じた損失の金額は、原則として、**損益通算**の適用があり、その年において控除しきれない部分の金額は、申告を要件に、**翌年以後３年間**（５年間）の繰越控除等の適用がある。

4　必要経費の特例　重要度◎

⑴　**資産損失の必要経費算入**（法51①④）

不動産所得を生ずべき業務用固定資産等について生じた損失の金額は、その損失の生じた日の属する年分の不動産所得の金額の計算上必要経費に算入する。

但し、**事業的規模**でない場合は、**この規定適用前**の不動産所得の金額を限度とする。

⑵　**その他**（法45、52、56、57等）

家事関連費等の必要経費不算入、個別評価貸倒引当金、同一生計親族が事業から受ける対価の特例等がある。

5　損益通算の特例（措法41の４、41の４の２、41の４の３）　重要度○

不動産所得の金額の計算上生じた損失の金額の損益通算にあたり、**土地等負債利子**の特例、**特定組合員等**の特例、**国外中古建物**の特例がある。

6　税額計算の特例（法90）　重要度○

不動産所得となる権利金等のうち**契約期間が３年以上**、かつ、その金額がその契約による**使用料年額の２倍以上**であるものに係る所得は臨時所得とされ、一定の要件に該当するときは、**平均課税**による税額計算の適用がある。

7　復興特別所得税（復財法12、13、17）　重要度○

所得税の確定申告書を提出する者は、**基準所得税額の2.1％**の復興特別所得税が課税される。

● 不動産所得の業務が事業的規模の場合とそうでない場合の相違点

1　利子税の必要経費算入（法45）

事業的規模の場合には、利子税のうち一定額は必要経費に算入されるが、そうでない場合には、必要経費算入は認められない。

2　貸家の災害損失等（法51①④、72）

(1)　事業用固定資産の損失の金額は、損失発生年分の必要経費に算入される。

(2)　事業以外の業務用固定資産の損失の金額は、損失発生年分の不動産所得の金額を限度として必要経費に算入される。

なお、災害、盗難又は横領による場合には、雑損控除の対象にもなり、上記の取扱いに優先する。

3　未収家賃等の貸倒損失（法51②、64①）

(1)　事業上の未収家賃等の貸倒損失の金額は、損失発生年分の必要経費に算入される。

(2)　事業以外の未収家賃等の貸倒損失の金額は、その計上年分の不動産所得の金額の計算上なかったものとみなす。

4　個別評価貸倒引当金（法52①）

事業的規模の場合には、事業上の未収家賃等の貸倒れによる損失の見込額として個別評価貸金等に係る貸倒引当金の繰入れができるが、そうでない場合には、この特例は認められない。

5　青色事業専従者給与等（法57）

事業的規模の場合には、青色事業専従者給与又は事業専従者控除の特例が認められるが、そうでない場合には、これらの特例は認められない。

6　青色申告特別控除（措法25の２）

事業的規模の場合には、取引を詳細に記録している場合で一定のときの青色申告特別控除額は55万円又は65万円とされるが、そうでない場合には、10万円とされる。

7　その他（措法28の２の２）

事業的規模の場合には、債務処理計画に基づく減価償却資産等の評価減の適用がある。

(MEMO)

2−5 給与所得

（注）給与所得控除額、所得金額調整控除を除く

1　意　義（法28①、57④）　重要度◎

⑴　給与所得とは、俸給、給料、賃金、歳費及び賞与並びにこれらの性質を有する給与（以下「給与等」という。）に係る所得をいう。

⑵　必要経費とみなされた事業専従者控除額は、各事業専従者の給与所得に係る収入金額とみなす。

2　非課税（法９①四、五、措法29の２）　重要度○

次の給与等に係る所得は、所得税を課さない。

⑴　出張旅費、一定の通勤手当等

⑵　特定新株予約権の行使に係る経済的利益

3　給与所得の金額（法28、36、57の２）　重要度◎

⑴　給与所得の金額は、その年中の給与等の収入金額から給与所得控除額を控除した残額とする。

なお、その年中の特定支出の額の合計額が給与所得控除額の２分の１相当額を超えるときは、その年分の給与所得の金額は、申告を要件に、その残額からその超える部分の金額を控除した金額とする。

⑵　その年分の給与所得の金額の計算上収入金額とすべき金額は、原則として、その年において収入すべき金額（金銭以外の物又は権利その他経済的な利益をもって収入する場合には、その物等のその取得等する時における価額）とする。

⑶　特定支出とは、次に掲げる支出（給与等の支払者により補てんされ、かつ、非課税とされる部分等を除く。）をいう。

①　通勤のための支出

②　職務上の旅費

③　転任に伴う転居費用

④　職務の遂行に直接必要な技術等の研修費用

⑤　資格取得のための支出

⑥　単身赴任者の帰郷等の旅費

⑦　書籍等・衣服の購入又は交際費等の支出（65万円限度）

4　課税方法（法22、89）　重要度◎

給与所得の金額は、他の所得と総合して総所得金額を構成し、超過累進税率により所得税が課税される。

なお、源泉徴収税額は、原則として、確定申告により精算される。

5　源泉徴収（法183、185、186、190）　重要度○

(1)　源泉徴収

居住者が給与等の支払を受ける場合には、月給、日給等の別、「給与所得者の扶養控除等申告書」の提出の有無、その申告書に記載されている人的事情等を考慮して、別表第２から第４までの税額表等により求めた税額が源泉徴収される。

(2)　年末調整

「給与所得者の扶養控除等申告書」を提出した居住者で、その年中の給与等の金額が2,000万円以下であるものは、その年中の源泉徴収税額の合計額が、その年最後に給与等の支払を受ける時の現況により計算した年税額に比し過不足があるときは、その過不足額は、その年最後に給与等の支払を受ける際に、年末調整により精算される。

6　確定申告との関係（法120、121①）　重要度○

居住者は、その年分の所得税額の合計額が配当控除額等を超えるときは確定申告義務があるが、その年中の給与等の金額が2,000万円以下で一定のときは、その年分の課税退職所得金額以外の課税所得金額に係る所得税については、確定申告を要しない。

7　復興特別所得税（復財法12、13、17、28〜30）　重要度○

(1)　源泉徴収税額には、所得税額の2.1%の復興特別所得税額が含まれる。
　また、年末調整される税額には、復興特別所得税額が含まれる。

(2)　所得税の確定申告書を提出する者は、基準所得税額の2.1%の復興特別所得税が課税され、(1)の源泉徴収税額は、原則として、確定申告により精算される。

2−6 給与所得者の特定支出控除の特例

■趣　旨■

給与所得者が確定申告により所得税の課税標準等及び税額等を確定させることができる途を拓くことは、公平感の維持から重要であることから設けられている。

1　内　容（法57の２①）　重要度○

居住者が、各年において特定支出をした場合において、その年中の特定支出の額の合計額が給与所得控除額の２分の１相当額を超えるときは、その年分の給与所得の金額は、給与所得控除後の残額からその超える部分の金額を控除した金額とする。

2　特定支出の範囲（法57の２②）　重要度○

特定支出とは、次に掲げる支出（給与等の支払者により補てんされ、かつ、非課税とされる部分などを除く。）で、給与等の支払者などにより証明がされたものをいう。

⑴　**通勤費**

通勤のための交通機関の利用等の支出で、最も経済的かつ合理的であるもののうち、通常必要であると認められる部分

⑵　**職務上の旅費**

勤務する場所を離れて職務を遂行するために直接必要な旅行により、通常必要であると認められる部分

⑶　**転居費**

転任に伴う転居のために、通常必要であると認められる支出

⑷　**研修費**

職務の遂行に直接必要な技術又は知識を習得することを目的として受講する研修（⑸の資格取得費を除く。）のための支出

⑸　**資格取得費**

資格を取得するための支出で、職務の遂行に直接必要なもの

⑹　**帰宅旅費**

転任に伴い生計を一にする配偶者等との別居を常況とする者が、勤務場所等と配偶者等が居住する場所との間の旅行に通常要する支出

⑺　**勤務必要経費**

書籍等・衣服の購入費用又は交際費等の支出で、職務の遂行に直接必要なもの（65万円限度）

３　申告要件（法57の２③）　重要度○

この規定は、確定申告書等に一定の事項の記載があり、かつ、一定の書類の添付がある場合に限り適用する。

2−7 退職所得

１　意　義（法30①、31）　重要度◎

⑴　退職所得とは、退職手当、一時恩給その他の退職により一時に受ける給与及びこれらの性質を有する給与（以下「退職手当等」という。）に係る所得をいう。

⑵　次の一時金は、退職手当等とみなす。

①　国民年金法、厚生年金保険法等に基づく一時金

②　確定給付企業年金法に基づく一時金（自己負担部分を除く。）及び確定拠出年金法に基づく一時金等

２　非課税（法９①十七）　重要度○

相続又は遺贈により取得したものとみなされる退職手当金等に係る所得については、所得税を課さない。

３　退職所得の金額（法30、36）　重要度◎

⑴　退職所得の金額は、その年中の退職手当等の収入金額から退職所得控除額を控除した残額の２分の１に相当する金額とする。

但し、特定役員退職手当等（役員等として勤続年数５年以下の者が支払いを受ける退職手当等）は、２分の１しない金額とする。

また、短期退職手当等（特定役員退職手当等以外で、勤続年数５年以下の者が支払を受ける退職手当等）は、その残額のうち300万円を超える部分の金額については、２分の１しない金額とする。

⑵　その年分の退職所得の金額の計算上収入金額とすべき金額は、原則として、その年において収入すべき金額（金銭以外の物又は権利その他経済的な利益をもって収入する場合には、その物等のその取得等する時における価額）とする。

⑶　退職所得控除額は、次のそれぞれに掲げる金額とする。

①　勤続年数が20年以下の場合

……40万円×勤続年数（最低80万円）

②　勤続年数が20年を超える場合

……800万円＋70万円×（勤続年数−20年）

③　障害者になったことに直接基因して退職した場合

……①又は②の金額　＋　100万円

4　課税方法（法22、89）　重要度◎

退職所得の金額は、他の所得と区分し、別個の課税標準として超過累進税率により所得税が課税される。

なお、源泉徴収税額は、原則として、確定申告により精算される。

5　源泉徴収（法199、201）　重要度○

居住者が国内において退職手当等の支払を受ける場合には、その支払を受ける際、次に掲げる金額の所得税額が源泉徴収される。

⑴　**「退職所得の受給に関する申告書」を提出している場合**

……退職手当等の金額から退職所得控除額を控除した残額の２分の１相当額（特定役員退職手当等及び短期退職手当等の300万円超部分の金額は、２分の１しない金額、千円未満切捨）を課税退職所得金額とみなして超過累進税率を適用して計算した税額

⑵　**同申告書を提出していない場合**

……退職手当等の金額の20%相当額

6　確定申告との関係（法120、121②）　重要度○

居住者は、その年分の所得税額の合計額が配当控除額等を超えるときは確定申告義務があるが、その年分の退職手当等の全部について、「退職所得の受給に関する申告書」を提出して源泉徴収されている場合その他一定の場合には、その年分の課税退職所得金額に係る所得税については、確定申告を要しない。

7　復興特別所得税（復財法12、13、17、28）　重要度○

⑴　源泉徴収税額には、所得税額の2.1%の復興特別所得税額が含まれる。

⑵　所得税の確定申告書を提出する者は、基準所得税額の2.1%の復興特別所得税が課税され、⑴の源泉徴収税額は、原則として、確定申告により精算される。

2-8 山林所得

1　意　義（法32①②）　重要度◎

山林所得とは、山林の伐採又は譲渡による所得をいう。

但し、山林をその取得の日以後５年以内に伐採し又は譲渡することによる所得は、事業所得又は雑所得とする。

2　非課税（法９①十、措法40、40の３）　重要度○

山林の強制換価手続による伐採又は譲渡、国等に対する贈与等及び物納に係る所得については、所得税を課さない。

3　山林所得の金額（法32③④、36、37、措法25の２）　重要度◎

⑴　山林所得の金額は、その年中の山林所得に係る総収入金額から必要経費を控除し、その残額から山林所得の特別控除額（最高50万円）を控除した金額とする。

なお、青色申告者は、上記の金額から青色申告特別控除額を控除した金額とする。

⑵　その年分の山林所得の金額の計算上総収入金額に算入すべき金額は、原則として、その年において収入すべき金額（金銭以外の物又は権利その他経済的な利益をもって収入する場合には、その物等のその取得等する時における価額）とする。

⑶　その年分の山林所得の金額の計算上必要経費に算入すべき金額は、原則として、その山林の植林費、取得に要した費用、管理費、伐採費その他その山林の育成又は譲渡に要した費用（償却費以外の費用でその年において債務の確定しないものを除く。）の額とする。

4　課税方法（法22、69、70、89）　重要度◎

⑴　山林所得の金額は、他の所得と区分し、別個の課税標準として５分５乗方式により所得税が課税される。

⑵　山林所得の金額の計算上生じた損失の金額は、損益通算の適用があり、その年において控除しきれない部分の金額は、申告を要件に、翌年以後３年間（５年間）の繰越控除等の適用がある。

5　総収入金額の特例　重要度◎

⑴　山林の家事消費（法39）

山林所得の基因となる山林を、伐採して家事のために消費した場合には、その消費時の価額相当額は、その消費年分の山林所得の金額の計算上、総収入金額に算入する。

⑵　山林の贈与等（法59）

次の事由により、山林所得の基因となる山林の移転があった場合には、その事由が生じた時に、その時の価額相当額により、その山林の譲渡があったものとみなす。

①　法人に対する贈与、遺贈又は低額譲渡

②　限定承認に係る相続又は個人に対する限定承認に係る包括遺贈

6　必要経費の特例　重要度◎

⑴　概算経費控除（措法30）

その年の15年前の年の12月31日以前から引き続き所有していた山林を伐採又は譲渡した場合には、申告を要件に、概算経費によることができる。

⑵　資産損失の必要経費算入（法51③）

災害、盗難又は横領により山林について生じた損失の金額は、その者の損失発生年分の必要経費に算入する。

7　納付の特例（法132）　重要度○

山林の延払条件付譲渡をした場合において一定の要件を満たすときは、５年以内の延納の許可を受けることができる。

8　復興特別所得税（復財法12、13、17）　重要度○

所得税の確定申告書を提出する者は、基準所得税額の2.1%の復興特別所得税が課税される。

年金を受け取った場合

（注）所得金額調整控除を除く

1　非課税（法9①三、十三）　重要度◎

次の年金に係る所得は、所得税を課さない。

⑴　恩給法に規定する増加恩給（これに併給される普通恩給を含む。）及び傷病賜金その他公務上又は業務上の事由による負傷又は疾病に基因して受ける年金

⑵　遺族恩給及び遺族年金（死亡した者の勤務に基づいて支給されるものに限る。）

⑶　心身障害者扶養共済制度に基づいて受ける年金など

2　課税方法（法35、36、措法41の15の3）　重要度◎

年金は、公的年金等とその他の年金に区分され、雑所得として他の所得と総合して総所得金額を構成し、超過累進税率により所得税が課税される。

なお、源泉徴収税額は、原則として、確定申告により精算される。

⑴　公的年金等

①　公的年金等とは、次に掲げる年金をいう。

イ　国民年金法、厚生年金保険法等に基づく公的年金

ロ　恩給（一時恩給を除く。）及び過去の勤務に基づき使用者であった者から支給される年金

ハ　確定給付企業年金法に基づく年金（自己負担部分を除く。）及び確定拠出年金法に基づく年金など

②　公的年金等に係る雑所得の金額は、その年中の公的年金等の収入金額から公的年金等控除額を控除した残額とする。

③　その年分の公的年金等に係る雑所得の金額の計算上収入金額とすべき金額は、原則として、その年において収入すべき金額とする。

④　公的年金等控除額は、定額控除額及び定率控除額の合計額（最低、60万円等（年齢65歳以上の者は 110万円等））とする。

(2)　その他の年金

その他の年金に係る雑所得の金額は、その年中の総収入金額から必要経費を控除した金額とする。

①　総収入金額

年金受給額 ＋ 年金受給開始日以後の剰余金の分配額

②　必要経費

$$\text{年金受給額} \times \frac{\text{支払保険料総額}}{\text{年金受給総額}}$$（小数点２位未満切上）

3　源泉徴収（法203の２～203の７、207～209、措法41の15の３等）　重要度◎

居住者が国内において年金の支払を受ける場合には、その支払を受ける際、次に掲げる金額の所得税額が源泉徴収される。

(1)　公的年金等

①　公的年金及び恩給

公的年金等の金額から一定の金額を控除した残額の５％相当額

なお、その年中に支払を受けるべき公的年金等の金額が、その年最初にその公的年金等の支払を受けるべき日の前日において108万円（年齢65歳以上の者は158万円）未満の場合には源泉徴収されない。

②　その他の公的年金等

公的年金等の金額からその25％相当額を控除した残額の10％相当額

(2)　その他の年金

年金受給額からその必要経費を控除した金額の10％相当額とする。

なお、上記の金額が25万円未満の場合には、源泉徴収されない。

4　確定申告との関係（法120、121③）　重要度○

居住者は、その年分の所得税額の合計額が配当控除額等を超えるときは確定申告義務があるが、その年中の公的年金等の収入金額が400万円以下で、その公的年金等の全部について所得税の徴収をされた又はされるべき場合において、その年分の公的年金等に係る雑所得以外の所得金額が20万円以下であるときは、その年分の課税退職所得金額以外の課税所得金額に係る所得税については、確定申告を要しない。

5　復興特別所得税（復財法12、13、17、28）

重要度○

⑴　源泉徴収税額には、所得税額の2.1%の復興特別所得税額が含まれる。

⑵　所得税の確定申告書を提出する者は、基準所得税額の2.1%の復興特別所得税が課税され、⑴の源泉徴収税額は、原則として、確定申告により精算される。

テーマ

3

事業所得等

3−1 所得計算の通則

1　収入金額（法36）　重要度◎

⑴　その年分の各種所得の金額の計算上収入金額とすべき金額又は総収入金額に算入すべき金額は、原則として、その年において収入すべき金額（金銭以外の物又は権利その他経済的な利益をもって収入する場合には、その金銭以外の物又は権利その他経済的な利益の価額）とする。

⑵　⑴の価額は、その物若しくは権利を取得し、又はその利益を享受する時における価額とする。

⑶　無記名の有価証券の利子配当等については、その年分の利子所得の金額又は配当所得の金額の計算上収入金額とすべき金額は、⑴にかかわらず、その年において支払を受けた金額とする。

2　必要経費（法37）　重要度◎

⑴　山林以外

その年分の不動産所得の金額、事業所得の金額又は雑所得の金額（事業所得の金額及び雑所得の金額のうち山林の伐採又は譲渡に係るもの並びに雑所得の金額のうち公的年金等に係るものを除く。）の計算上必要経費に算入すべき金額は、原則として、これらの所得の総収入金額に係る売上原価その他その総収入金額を得るため直接に要した費用の額及びその年における販売費、一般管理費その他これらの所得を生ずべき業務について生じた費用（償却費以外の費用でその年において債務の確定しないものを除く。）の額とする。

⑵　山　林

山林につき、その年分の事業所得の金額、山林所得の金額又は雑所得の金額の計算上必要経費に算入すべき金額は、原則として、その山林の植林費、取得に要した費用、管理費、伐採費その他その山林の育成又は譲渡に要した費用（償却費以外の費用でその年において債務の確定しないものを除く。）の額とする。

3　取得費（法38）

重要度◎

⑴　原　則

譲渡所得の金額の計算上控除する資産の取得費は、原則として、その資産の取得に要した金額並びに設備費及び改良費の額の合計額とする。

⑵　使用又は期間の経過により減価する資産

譲渡所得の基因となる資産が家屋その他使用又は期間の経過により減価する資産である場合の取得費は、上記⑴の合計額から、次に掲げる期間の区分に応じそれぞれに掲げる金額の合計額を控除した金額とする。

①　不動産所得、事業所得、山林所得又は雑所得を生ずべき業務の用に供されていた期間

その期間内の各年分のこれらの所得の金額の計算上必要経費に算入される償却費の額の累積額

②　①以外の期間

同種の減価償却資産の耐用年数の1.5倍の年数（１年未満の端数切捨）により旧定額法に準じて計算した金額に、その期間の年数（６月未満切捨、６月以上切上）を乗じて計算した減価の額

● 外貨建取引の換算（第57条の３）

居住者が、外貨建取引を行った場合のその外貨建取引の金額の円換算額は、取引日における外国為替の売買相場によって換算した金額とする。

※　円換算は、取引日における電信売買相場の仲値（TTM）による。

なお、継続適用を要件に、事業所得等を生ずべき業務を営む居住者は、売上高等・資産は電信買相場（TTB）、仕入高等・負債は電信売相場（TTS）によることができる。（基通57の３－２）

3−2 収入金額の別段の定め

（注）帰属時期の特例及び譲渡所得等に関する事項を除く

1　原　則（法36）　重要度○

その年分の各種所得の金額の計算上収入金額とすべき金額又は総収入金額に算入すべき金額は、原則として、その年において収入すべき金額（金銭以外の物又は権利その他経済的な利益をもって収入する場合には、その物等のその取得等する時における価額）とする。

2　棚卸資産等の家事消費（法39）　重要度◎

居住者が棚卸資産（準棚卸資産を含む。）を家事のために消費した場合又は山林を伐採して家事のために消費した場合には、その消費した時におけるこれらの資産の価額相当額は、その者のその消費した日の属する年分の事業所得の金額、山林所得の金額又は雑所得の金額の計算上、総収入金額に算入する。

3　棚卸資産等の贈与等（法40）　重要度◎

次の事由により、居住者の有する棚卸資産（準棚卸資産、暗号資産、事業所得の基因となる山林及び有価証券を含む。）の移転があった場合には、そのそれぞれに掲げる金額相当額は、その者のその事由が生じた日の属する年分の事業所得の金額又は雑所得の金額の計算上、総収入金額に算入する。

⑴　贈与（相続人に対する死因贈与を除く。）又は遺贈（包括遺贈及び相続人に対する特定遺贈を除く。）

……その贈与又は遺贈の時におけるその棚卸資産の価額

⑵　著しく低い価額の対価による譲渡

……その対価の額とその譲渡の時におけるその棚卸資産の価額との差額のうち実質的に贈与をしたと認められる金額

4　農産物の収穫基準（法41）　重要度○

農業を営む居住者が農産物（米、麦その他一定のものに限る。）を収穫した場合には、その収穫時におけるその農産物の価額（収穫価額）相当額は、その者のその収穫の日の属する年分の事業所得の金額の計算上、総収入金額に算入する。

５　新株予約権の譲渡（法41の２）

重要度△

居住者が一定の新株予約権を発行法人に譲渡した場合は、その譲渡対価の額から取得価額を控除した金額を、事業所得、給与所得、退職所得、一時所得又は雑所得（権利を行使したときと同じ所得）に係る収入金額とみなす。

６　国庫補助金等（法42）

重要度○

居住者が、国庫補助金等の交付を受け、交付目的に適合した固定資産の取得等をした場合で、その補助金等の返還を要しないことがその年12月31日までに確定したときは、その補助金等の額（前年以前に取得等した減価償却資産である場合には、補助金等の額のうち一定の金額）は、その者の各種所得の金額の計算上、総収入金額に算入しない。

７　条件付国庫補助金等（法43）

重要度△

⑴　居住者が、国庫補助金等の交付を受け、その補助金等の返還を要しないことがその年12月31日までに確定していない場合は、その補助金等の額は、その者のその年分の各種所得の金額の計算上、総収入金額に算入しない。
⑵　翌年以後に国庫補助金等の返還を要しないことが確定した場合には、過大償却費相当額は、その確定した年分の総収入金額に算入する。

８　移転等の支出に充てるための交付金（法44）

重要度△

居住者が、国等から資産の移転等の補助金の交付を受けた場合で、その交付を受けた金額をその資産の移転等の費用に充てたときは、その費用に充てた金額は、その者の各種所得の金額の計算上、総収入金額に算入しない。
但し、必要経費等とされる部分の金額は除く。

９　債務免除益（法44の２）

重要度△

居住者が、自己破産等により債務免除を受けた場合の債務免除益（一定の金額を除く。）は、その者の各種所得の金額の計算上、総収入金額に算入しない。

10　減額された外国所得税額（法44の３）

重要度○

居住者が、外国税額控除の適用を受けた年の翌年以後７年内の各年において外国所得税額が減額された場合で、減額された年分の外国税額控除の計算上控除する金額は、その者の各種所得の金額の計算上、総収入金額に算入しない。

参　考

●　総収入金額算入・不算入の取扱い

（譲渡所得に関する事項も問われた場合）

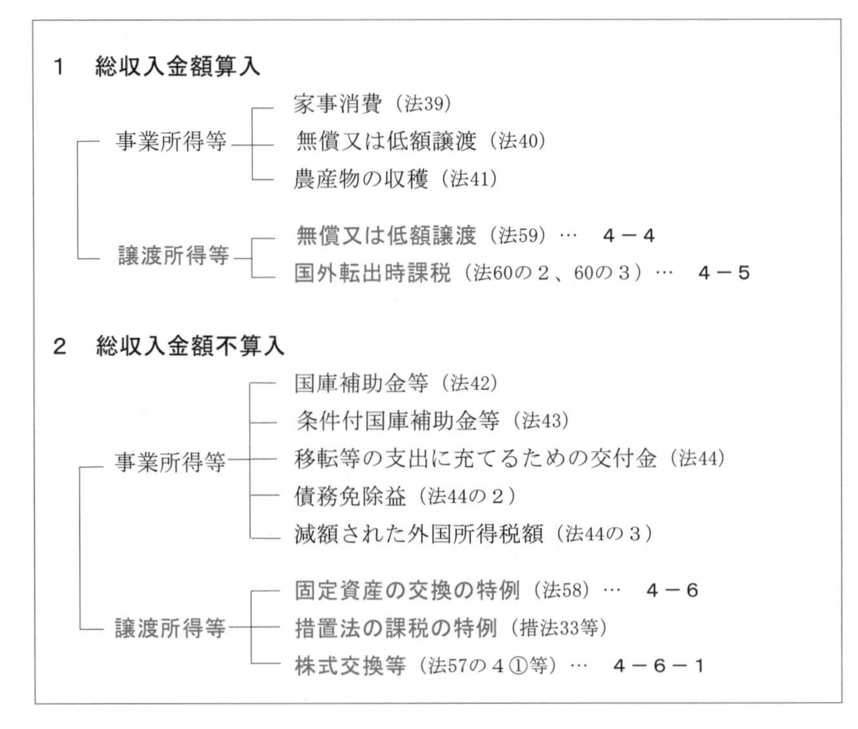

※　法41の２ 新株予約権の譲渡は、総収入金額算入・不算入の取扱いではなく、収入金額の評価及び所得区分に係る別段の定めである。

(MEMO)

3−3 収入・費用帰属時期の特例

（注）具体的な計算方法を除く

１　原　則（法36）

重要度○

収入及び費用の帰属について、収入金額は権利確定主義により、償却費以外の費用の額は債務確定主義により計上することを原則とする。

２　リース譲渡に係る延払基準（法65）

重要度○

居住者がリース譲渡を行った場合において、そのリース譲渡年以後の各年において延払基準の方法により経理したときは、その経理した金額は、その各年分の事業所得の金額の計算上、総収入金額及び必要経費に算入する。

但し、継続適用が要件とされる。

３　工事進行基準（法66）

重要度○

⑴　長期大規模工事

①　居住者が、長期大規模工事の請負をした場合には、その着工の年からその目的物の引渡し年の前年までの各年分の事業所得の金額の計算上、工事進行基準の方法により計算した金額を総収入金額及び必要経費に算入する。

②　長期大規模工事とは、着工の日から目的物の引渡しの日までの期間が１年以上であること、請負金額が10億円以上であることなどの要件に該当する工事をいう。

⑵　その他の工事

居住者が、工事（長期大規模工事を除く。）の請負をした場合において、その着工の年からその目的物の引渡し年の前年までの各年において工事進行基準の方法により経理したときは、その経理した金額は、その各年分の事業所得の金額の計算上、総収入金額及び必要経費に算入する。

但し、継続適用が要件とされる。

４　小規模事業者等の現金基準（法67）　重要度◎

⑴　青色申告者のうち小規模事業者

青色申告者で不動産所得又は事業所得を生ずべき業務を行うもののうち小規模事業者に該当するもののその年分のこれらの所得の金額（山林の伐採又は譲渡に係るものを除く。）の計算上総収入金額及び必要経費に算入すべき金額は、その年において収入した金額及び支出した費用の額とすることができる。

なお、小規模事業者とは、前々年分の不動産所得の金額及び事業所得の金額（青色事業専従者給与額等を必要経費に算入しないで計算した金額）の合計額が300万円以下である者をいう。

⑵　雑所得を生ずべき業務を行う者のうち小規模な業務を行う者

雑所得を生ずべき業務を行う者のうち小規模な業務を行う者に該当するもののその年分の雑所得の金額（山林の伐採又は譲渡に係るものを除く。）の計算上総収入金額及び必要経費に算入すべき金額は、その年において収入した金額及び支出した費用の額とすることができる。

なお、小規模な業務を行う者とは、前々年分の雑所得を生ずべき業務に係る収入金額が300万円以下である者をいう。

５　農産物の収穫基準（法41）　重要度○

農業を営む居住者が農産物（米、麦その他一定のものに限る。）を収穫した場合には、その収穫時におけるその農産物の価額（収穫価額）相当額は、その者のその収穫の日の属する年分の事業所得の金額の計算上、総収入金額に算入する。

なお、その農産物は、収穫時にその収穫価額をもって取得したものとみなす。

家事関連費等及び外国所得税の必要経費不算入等

1　家事関連費等（法45、復財法33）　重要度◎

(1)　必要経費不算入

居住者が支出し又は納付する次に掲げるものの額は、その者の不動産所得の金額、事業所得の金額、山林所得の金額又は雑所得の金額の計算上、必要経費に算入しない。

① 家事上の経費

② 家事関連費

なお、次に掲げるものを除く。

イ　家事関連費の主たる部分が不動産所得、事業所得、山林所得又は雑所得を生ずべき業務の遂行上必要で、かつ、必要部分を明らかに区分することができる場合における、その必要部分

ロ　イのほか、青色申告者に係る家事関連費のうち、取引の記録等に基づいて、不動産所得、事業所得又は山林所得を生ずべき業務の遂行上直接必要であったことが明らかにされる部分

③ 所得税（復興特別所得税を含む。）

なお、不動産所得、事業所得又は山林所得を生ずべき事業を行う居住者が納付した利子税のうち一定の金額を除く。

④ 森林環境税及びその延滞金

⑤ 所得税以外の国税に係る延滞税、過少申告加算税、無申告加算税、不納付加算税及び重加算税

⑥ 印紙税法による過怠税

⑦ 道府県民税及び市町村民税（都民税及び特別区民税を含む。）

⑧ 地方税法による延滞金、過少申告加算金、不申告加算金及び重加算金

⑨ 罰金及び科料並びに過料

⑩ 次に掲げる損害賠償金

イ　家事上の経費及び家事関連費に該当する損害賠償金

ロ　不動産所得、事業所得、山林所得又は雑所得を生ずべき業務に関連して、故意又は重大な過失によって他人の権利を侵害したことにより支払う損害賠償金

⑪ 賄賂その他一定のもの

⑵　隠蔽仮装行為等に基づく事後的簿外経費の必要経費不算入

その年において不動産所得、事業所得若しくは山林所得を生ずべき業務を行う者又はその年において雑所得を生ずべき業務を行う者でその年の前々年分のその業務に係る収入金額が300万円を超えるものが、隠蔽仮装行為に基づき確定申告書を提出しており又は確定申告書を提出していなかった場合には、その年分の確定申告書に記載しなかった費用の額（一定の費用の額を除く。）は、その者のこれらの所得の金額の計算上、必要経費に算入しない。

⑶　支出した金額不算入

居住者が支出し又は納付する上記⑴③から⑪までのものの額は、その者の一時所得の金額の計算上、支出した金額に算入しない。

2　外国所得税（法46）

重要度○

居住者が、外国所得税額について外国税額控除等の適用を受ける場合には、その外国所得税額は、その者の不動産所得の金額、事業所得の金額、山林所得の金額若しくは雑所得の金額又は一時所得の金額の計算上、必要経費又は支出した金額に算入しない。

参　考

●　家事関連費（基通45－２但書）

法律上、白色申告者は主たる部分（50%超）が業務の遂行上必要で、かつ、必要部分を明らかに区分できる金額を必要経費に算入できるが、**通達**で、必要部分が50%以下であっても、**必要部分を**明らかにできれば、必要部分を必要経費に算入できる。

●　利子税の必要経費算入（法45、令97）

不動産所得、事業所得又は山林所得を生ずべき事業を行う居住者が納付した利子税のうち、次に掲げる金額は、その納付した年分のこれらの所得の金額の計算上必要経費に算入する。

$$\text{利子税の額} \times \frac{\text{前年分の事業から生じた所得の金額}}{\text{前年分の各種所得の金額の合計額}}$$（小数点２位未満切上）

（給与所得の金額及び退職所得の金額を除く）

3−5 資産に係る控除対象外消費税額等

1　意　義（令182の2⑤）　重要度○

資産に係る控除対象外消費税額等とは、消費税の経理処理を税抜経理方式によっている場合の**課税仕入等の税額**で、消費税法の規定により仕入税額控除をすることができない金額のうち、資産に係るものの合計額をいう。

資産に係る控除対象外消費税額等は、原則として、その資産の取得価額に算入されるが、次の2及び3の特例が認められる。

2　必要経費算入（令182の2①②）　重要度○

不動産所得、事業所得、山林所得又は雑所得（以下「事業所得等」という。）を生ずべき業務を行う年における、次に掲げる資産に係る控除対象外消費税額等は、その年分の事業所得等の金額の計算上、**必要経費に算入**する。

⑴　課税売上割合が80％以上の年に生じたもの

⑵　⑴以外の年に生じたもののうち、次に掲げるもの

①　棚卸資産に係るもの

②　20万円未満であるものなど

3　繰延消費税額等（令182の2③④）　重要度○

資産に係る控除対象外消費税額等（上記2によるものを除く。以下「繰延消費税額等」という。）の、その年以後の各年分の事業所得等の金額の計算上必要経費に算入する金額は、次による。

⑴　繰延消費税額等が生じた年分

$$\text{繰延消費税額等} \times \frac{\text{業務期間の月数}}{60} \times \frac{1}{2}$$

⑵　⑴の翌年以後の年分

$$\text{繰延消費税額等} \times \frac{\text{業務期間の月数}}{60}$$

4　申告要件（令182の2⑨）　重要度○

この規定の適用を受けた金額がある場合には、その年分の確定申告書に一定の明細書を添付しなければならない。

参　考

●　控除対象外消費税額等の取扱い

1　経費に係るもの　…………　必要経費（規定なし）

2　資産に係るもの

⑴　原　則　……………………　取得価額

⑵　特　例（令182の２）……　必要経費、繰延消費税（申告要件あり）

3−6 必要経費に算入される資産損失

1　資産の種類と損失の取扱い　重要度◎

⑴　**棚卸資産**（法47）

棚卸資産について生じた損失の金額は、売上原価の計算を通じてその損失の生じた日の属する年分の事業所得の金額の計算上、必要経費に算入する。

⑵　**事業用固定資産等**（法51①）

居住者の営む不動産所得、事業所得又は山林所得を生ずべき事業の用に供される固定資産及び繰延資産について取りこわし、除却、滅失その他の事由により生じた損失の金額（直前の未償却残額を基礎として計算し、保険金等により補てんされる部分の金額及び資産の譲渡により又はこれに関連して生じたものを除く。）は、その者のその損失の生じた日の属する年分のこれらの所得の金額の計算上、必要経費に算入する。

⑶　**事業上の債権**（法51②）

居住者の営む不動産所得、事業所得又は山林所得を生ずべき事業の遂行上生じた売掛金、貸付金、前渡金その他これらに準ずる債権の貸倒れその他一定の事由により生じた損失の金額は、その者のその損失の生じた日の属する年分のこれらの所得の金額の計算上、必要経費に算入する。

⑷　**山　林**（法51③）

災害又は盗難若しくは横領により居住者の有する山林について生じた損失の金額（その山林の植林費等、育成費用の額の合計額を基礎として計算し、保険金等により補てんされる部分の金額を除く。）は、その者のその損失の生じた日の属する年分の事業所得の金額又は山林所得の金額の計算上、必要経費に算入する。

⑸　**業務用資産等**（法51④）

居住者の不動産所得若しくは雑所得を生ずべき業務の用に供され又はこれらの所得の基因となる資産（山林及び生活に通常必要でない資産を除く。）の損失の金額（直前の未償却残額を基礎として計算し、保険金等により補てんされる部分の金額、資産の譲渡により又はこれに関連して生じたもの及び上記⑵若しくは⑶又は雑損控除に規定するものを除く。）は、それぞれその者のその損失の生じた日の属する年分の不動産所得の金額又は雑所得の金額（この規定適用前の金額）を限度として、その年分のこれらの所得の金額の計算上、必要経費に算入する。

⑹　**債務処理計画に基づく事業用減価償却資産等**（措法28の２の２）

青色申告者が、債務処理計画に基づき債務免除を受けた場合（債務免除益の総収入金額不算入の適用を受ける場合を除く。）において、不動産所得、事業所得又は山林所得を生ずべき事業用減価償却資産等の債務処理計画に基づく評価損失の金額は、その者のその免除を受けた日の属する年分のこれらの所得の金額（この規定適用前の金額）を限度として、その年分のこれらの所得の金額の計算上、必要経費に算入する。

２　事業廃止後に生じた場合（法63、152、令179）

重要度○

⑴　居住者が不動産所得、事業所得又は山林所得を生ずべき事業を廃止した後において、その事業に係る損失の金額が生じた場合には、その金額は、一定の順序及び方法により、その者のその廃止した日の属する年分（廃止年にこれらの所得に係る総収入金額がなかった場合には、総収入金額があった最近の年分）又はその前年分のこれらの所得の金額の計算上、必要経費に算入する。

⑵　損失が申告又は決定があった後に生じた場合には、その損失発生日の翌日から２月以内に税務署長に対し更正の請求をすることにより適用する。

参　考

●　業務用資産等（法51④）

１　対象資産

対象資産は、次の資産と割り切って考えても良い。

⑴　不動産所得を生ずべき事業用以外の業務用固定資産（貸家など）

⑵　雑所得を生ずべき元本債権（友人に対する貸付金など）

２　損失の金額（雑損控除に規定するものを除く。）**の意味**

損失の金額（直前未償却残額を基礎）のうち雑損控除の対象金額（直前価額又は直前未償却残額を基礎）以外の金額だけが、対象となる。

つまり、雑損控除を優先適用する。

3−7 債権の回収不能

1　事業上の債権（法51②）　重要度◎

居住者の営む不動産所得、事業所得又は山林所得を生ずべき事業の遂行上生じた売掛金、貸付金、前渡金その他これらに準ずる債権の貸倒れその他一定の事由により生じた損失の金額は、その者のその損失の生じた日の属する年分のこれらの所得の金額の計算上、必要経費に算入する。

2　事業上の債権以外の債権　重要度◎

⑴　雑所得の基因となる元本債権（法51④）

居住者の雑所得の基因となる元本債権の回収不能による損失の金額は、その者のその損失の生じた日の属する年分の雑所得の金額（この規定適用前の金額）を限度として、その年分の雑所得の金額の計算上、必要経費に算入する。

⑵　収入金額に係る債権（法64①、令180）

その年分の各種所得の金額（事業所得の金額を除く。）の計算の基礎となる収入金額又は総収入金額（不動産所得又は山林所得を生ずべき事業から生じたものを除く。）の全部又は一部が回収不能となった場合には、その回収不能額に対応する部分の金額は、その各種所得の金額の計算上、なかったものとみなす。

（注）なかったものとみなす金額

次に掲げる金額のうち最も低い金額とする。

①　その回収不能額

②　その回収不能額に係る収入金額が生じた年分の課税標準の合計額

③　②の計算の基礎とされる各種所得の金額

⑶　その他の債権

上記⑴及び⑵以外の債権の回収不能による損失の金額は、原則として、考慮されない。

⑷　保証債務の履行に伴い資産を譲渡した場合の求償権の特例（法64②③）

①　保証債務を履行するため資産（棚卸資産等を除く。）の譲渡があった場合において、その履行に伴う求償権（上記１の事業の遂行上生じたものを除く。）の全部又は一部が行使不能となったときは、その行使不能となった金額は、上記⑵の回収不能額とみなして、上記⑵の規定を適用する。

②　この規定は、確定申告書等に一定の事項の記載があり、かつ、一定の書類の添付がある場合に限り適用する。

3　事業廃止後に生じた場合（法63）　重要度○

居住者が不動産所得、事業所得又は山林所得を生ずべき事業を廃止した後において、上記1に係る損失の金額が生じた場合には、その金額は、一定の順序及び方法により、その者のその廃止した日の属する年分（廃止年にこれらの所得に係る総収入金額がなかった場合には、総収入金額があった最近の年分）又はその前年分のこれらの所得の金額の計算上、必要経費に算入する。

4　更正の請求（法152）　重要度○

上記2(2)、(4)、3の損失が、申告又は決定があった後に生じた場合には、その損失発生日の翌日から2月以内に税務署長に対し更正の請求をすることにより適用する。

参　考

● 債権の回収不能について

	事　業　上	事　業　上　以　外
元　本（貸付金）	必 要 経 費 算 入 （法51②）	必要経費算入（所得限度） （法51④）
収入金額　（※1）		一定額をなかったものとみなす （法64①）
そ の 他　（※2）		原則として何ら考慮されない （求償権は法64②の特例あり）

（※1）収入金額 … 売掛金、未収家賃、未収譲渡代金、未収利子など

（※2）そ の 他 … 前渡金、保証金、求償権など

3－7－1　各種所得の金額の計算上控除される資産損失

（注）事業廃止後の場合、更正の請求を除く

1　必要経費に算入されるもの

⑴　棚卸資産（法47）

棚卸資産について生じた損失の金額は、売上原価の計算を通じてその損失の生じた日の属する年分の事業所得の金額の計算上、必要経費に算入する。

⑵　事業用固定資産等（法51①）

居住者の営む不動産所得、事業所得又は山林所得を生ずべき事業の用に供される固定資産及び繰延資産について取りこわし、除却、滅失その他の事由により生じた損失の金額（直前の未償却残額を基礎として計算し、保険金等により補てんされる部分の金額及び資産の譲渡により又はこれに関連して生じたものを除く。）は、その者のその損失の生じた日の属する年分のこれらの所得の金額の計算上、必要経費に算入する。

⑶　事業上の債権（法51②）

居住者の営む不動産所得、事業所得又は山林所得を生ずべき事業の遂行上生じた売掛金、貸付金、前渡金その他これらに準ずる債権の貸倒れその他一定の事由により生じた損失の金額は、その者のその損失の生じた日の属する年分のこれらの所得の金額の計算上、必要経費に算入する。

⑷　山　林（法51③）

災害又は盗難若しくは横領により居住者の有する山林について生じた損失の金額（その山林の植林費等、育成費用の額の合計額を基礎として計算し、保険金等により補てんされる部分の金額を除く。）は、その者のその損失の生じた日の属する年分の事業所得の金額又は山林所得の金額の計算上、必要経費に算入する。

⑸　業務用資産等（法51④）

居住者の不動産所得若しくは雑所得を生ずべき業務の用に供され又はこれらの所得の基因となる資産（山林及び生活に通常必要でない資産を除く。）の損失の金額（直前の未償却残額を基礎として計算し、保険金等により補てんされる部分の金額、資産の譲渡により又はこれに関連して生じたもの及び上記⑵若しくは⑶又は雑損控除に規定するものを除く。）は、それぞれその者のその損失の生じた日の属する年分の不動産所得の金額又は雑所得の金額（この規定適用前の金額）を限度として、その年分のこれらの所得の金額の計算上、必要経費に算入する。

⑹　**債務処理計画に基づく事業用減価償却資産等**（措法28の２の２）

青色申告者が、債務処理計画に基づき債務免除を受けた場合（債務免除益の総収入金額不算入の適用を受ける場合を除く。）において、不動産所得、事業所得又は山林所得を生ずべき事業用減価償却資産等の債務処理計画に基づく評価損失の金額は、その者のその免除を受けた日の属する年分のこれらの所得の金額（この規定適用前の金額）を限度として、その年分のこれらの所得の金額の計算上、必要経費に算入する。

２　譲渡所得の金額の計算上控除されるもの（法62）⇨ マスター４－２

居住者が、災害又は盗難若しくは横領により、生活に通常必要でない資産について生じた損失の金額（直前の取得費相当額を基礎として計算し、保険金等により補てんされる部分の金額を除く。）は、その者のその損失の生じた日の属する年分又はその翌年分の譲渡所得の金額の計算上控除すべき金額とみなす。

３　なかったものとみなすもの

⑴　**収入金額に係る債権**（法64①、令180）

その年分の各種所得の金額（事業所得の金額を除く。）の計算の基礎となる収入金額又は総収入金額（不動産所得又は山林所得を生ずべき事業から生じたものを除く。）の全部又は一部が回収不能となった場合には、その回収不能額に対応する部分の金額は、その各種所得の金額の計算上、なかったものとみなす。

（注）なかったものとみなす金額

次に掲げる金額のうち最も低い金額とする。

①　その回収不能額

②　その回収不能額に係る収入金額が生じた年分の課税標準の合計額

③　②の計算の基礎とされる各種所得の金額

⑵　**保証債務の履行に伴い資産を譲渡した場合の求償権の特例**（法64②③）

①　保証債務を履行するため資産（棚卸資産等を除く。）の譲渡があった場合において、その履行に伴う求償権（上記１⑶の事業の遂行上生じたものを除く。）の全部又は一部が行使不能となったときは、その行使不能となった金額は、上記⑴の回収不能額とみなして、上記⑴の規定を適用する。

②　この規定は、確定申告書等に一定の事項の記載があり、かつ、一定の書類の添付がある場合に限り適用する。

3−8 事業廃止後に生じた費用又は損失

1　内　容（法63）　重要度◎

居住者が不動産所得、事業所得又は山林所得を生ずべき事業を廃止した後において、その事業に係る費用又は損失の金額が生じた場合には、その金額は、その者のその廃止した日の属する年分（廃止年にこれらの所得に係る総収入金額がなかった場合には、総収入金額があった最近の年分。以下「廃止年分」という。）又はその前年分のこれらの所得の金額の計算上、必要経費に算入する。

2　必要経費算入額（令179）　重要度○

⑴　次のうち最も低い金額を、その廃止年分のその事業に係る所得の金額の計算上必要経費に算入する。
　①　その費用又は損失額
　②　その廃止年分の課税標準の合計額
　③　②の計算の基礎とされるその事業に係る所得の金額

⑵　⑴①の金額が、⑴②又は③のいずれか低い金額を超えるときは、その超える部分の金額は、その廃止年の前年分のその事業に係る所得の金額の計算上、⑴に準じて必要経費に算入する。

3　更正の請求（法152）　重要度○

上記の費用又は損失が、申告又は決定があった後に生じた場合には、その費用又は損失発生日の翌日から２月以内に税務署長に対し更正の請求をすることにより適用する。

参　考

● 例　示

事業廃止後に、事業上の債権 1,000円が回収不能となった。

	廃止年分	その前年分
事業所得の金額	300円	500円
課税標準の合計額	1,200円	2,000円

(1) 廃止年分

300円 － 300円※ ＝ 0

※ ① 回収不能額　1,000円
② 課税標準の合計額　1,200円
③ 事業所得の金額　300円
→ 最小金額 300円

(2) 廃止年の前年分

500円 － 500円※ ＝ 0

※ ① 回収不能額の残額　1,000円－300円＝700円
② 課税標準の合計額　2,000円
③ 事業所得の金額　500円
→ 最小金額 500円

（注） 1,000円 －（300円＋500円） ＝ 200円は考慮されない。

3-9 貸倒引当金

1　個別評価貸倒引当金　重要度◎

⑴　**内　容**（法52①）

不動産所得、事業所得又は山林所得を生ずべき事業を営む居住者が、個別評価貸金等（売掛金、貸付金、前渡金などの貸金等で、その一部につき貸倒れなどによる損失が見込まれるものをいう。）の**その損失の見込額**として各年（事業廃止等年を除く。以下同じ。）において貸倒引当金勘定に繰り入れた金額については、その金額のうち、**その年12月31日**（年の中途で死亡した場合は、その死亡の時。以下同じ。）において計算した**繰入限度額**に達するまでの金額は、その者のその年分のこれらの所得の金額の計算上、必要経費に算入する。

但し、**死亡の場合で、相続人が事業を承継しなかったとき**は、適用しない。

⑵　**繰入限度額**（令144）

①　**更生計画認可の決定等**により、弁済を猶予等されたとき

……　**貸金等の額のうち、事由発生年の翌年１月１日から５年以内に弁済される金額以外の金額**（担保部分の金額を除く。）相当額

②　一定の事由により、**その一部につき取立て等の見込みがないとき**

……　**取立て等の見込みがない金額相当額**

③　**更生手続開始の申立て等**の事由が生じたとき

……　**貸金等の額**（一定の金額を除く。）**の50%相当額**

2　一括評価貸倒引当金

重要度◎

⑴　**内　容**（法52②）

青色申告書を提出する居住者で事業所得を生ずべき事業を営むものが、一括評価貸金（売掛金、貸付金などの貸金（個別評価貸金等を除く。）をいう。）の貸倒れによる損失の見込額として、各年において貸倒引当金勘定に繰り入れた金額については、その金額のうち、その年12月31日において計算した繰入限度額に達するまでの金額は、その者のその年分の事業所得の金額の計算上、必要経費に算入する。

但し、死亡の場合で、相続人が事業を承継しなかったときなど、一定の場合は、適用しない。

⑵　**繰入限度額**（令145）

一括評価貸金の帳簿価額（実質的に債権とみられない部分の金額を除く。）の合計額の5.5％（金融業は、3.3％）相当額

3　申告要件（法52④⑤）

重要度◎

この規定は、確定申告書に明細の記載がある場合に限り、適用する。

但し、宥恕規定がある。

4　総収入金額算入（法52③⑥）

重要度◎

不動産所得の金額、事業所得の金額又は山林所得の金額の計算上必要経費に算入された貸倒引当金勘定の金額は、その繰入年の翌年分のこれらの所得の金額の計算上、総収入金額に算入する。

参　考

●　死亡（事業承継）の場合

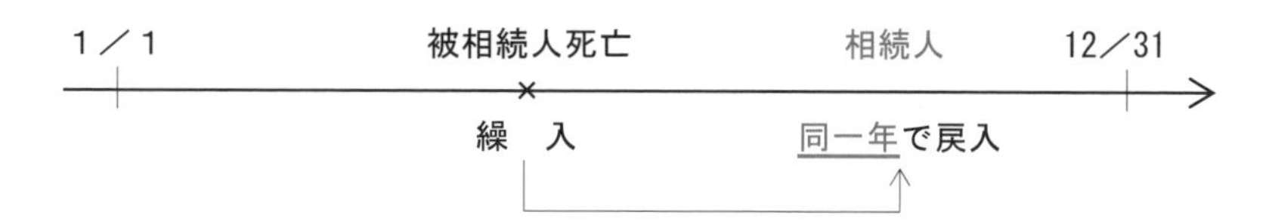

3－10 同一生計親族が事業から受ける対価

■趣　旨■

この規定は、恣意的に所得を分散させ税負担の軽減を図ることを防止するため個人単位課税の例外として設けられている。

1　原則的取扱い（法56）　重要度◎

⑴　事業主の取扱い

居住者と生計を一にする親族がその居住者の営む不動産所得、事業所得又は山林所得を生ずべき事業に従事したことその他の事由によりその事業から対価の支払を受ける場合には、次のように取扱われる。

①　その対価に相当する金額は、その居住者のその事業に係る所得の金額の計算上、必要経費に算入しない。

②　その親族のその対価に係る各種所得の金額の計算上必要経費に算入されるべき金額は、その居住者のその事業に係る所得の金額の計算上、必要経費に算入する。

⑵　親族の取扱い

その親族が支払を受けた対価の額及びその親族のその対価に係る各種所得の金額の計算上必要経費に算入されるべき金額は、その各種所得の金額の計算上ないものとみなす。

2　青色事業専従者給与（法57①②）　重要度◎

⑴　内　容

青色申告者と生計を一にする親族（年齢15歳未満の者を除く。）で専らその居住者の営む上記１に規定する事業に従事するもの（以下「青色事業専従者」という。）が、その事業から「青色事業専従者給与に関する届出書」に記載されている金額の範囲内において給与の支払を受けた場合には、上記１にかかわらず、その給与の金額でその労務に従事した期間その他の状況に照らしその労務の対価として相当であると認められるものは、その居住者のその給与の支給に係る年分のその事業に係る所得の金額の計算上必要経費に算入し、かつ、その青色事業専従者のその年分の給与所得に係る収入金額とする。

(2)　届出書の提出

その年分以後の各年分の所得税につきこの規定の適用を受けようとする居住者は、**その年３月15日まで**（その年１月16日以後新たに事業を開始等した場合には、その事業を開始等した日から２月以内）に「青色事業専従者給与に関する届出書」を納税地の所轄税務署長に提出しなければならない。

3　事業専従者控除（法57③～⑥）　重要度◎

(1)　内　容

居住者（青色申告者を除く。）と**生計を一にする親族**（年齢15歳未満の者を除く。）**で専らその居住者の営む上記１に規定する事業に従事するもの**（以下「事業専従者」という。）**がある場合には、その居住者のその年分のその事業に係る所得の金額の計算上、各事業専従者につき、次に掲げる金額のうちいずれか低い金額を必要経費とみなし、かつ、その各事業専従者のその年分の給与所得に係る収入金額とみなす。**

①　**50万円**（その居住者の配偶者は86万円）

②　$\dfrac{\text{その事業に係る所得の金額（この規定適用前、かつ、特別控除前の金額）}}{\text{事業専従者の数 ＋ １}}$

(2)　申告要件

この規定は、確定申告書にこの規定の適用を受ける旨及び必要経費とみなされる金額に関する事項の記載がある場合に限り適用する。

但し、宥恕規定がある。

4　青色事業専従者等の判定（法57⑦、令165）　重要度○

(1)　親族の年齢が15歳未満であるかどうかの判定は、原則として**その年12月31日**の現況による。

(2)　親族が事業に専ら従事するかどうかの判定は、**従事期間が６月を超えるかどうか**による。

但し、**青色事業専従者については、年の中途の開業等の場合には、従事可能期間の２分の１超従事すれば足りるものとする。**

(MEMO)

テーマ

4

譲渡所得等

4−1 取得費の原則・相続税額の取得費加算

1　取得費の原則（法38）　重要度◎

⑴　原　則

譲渡所得の金額の計算上控除する資産の取得費は、原則として、その資産の取得に要した金額並びに設備費及び改良費の額の合計額とする。

⑵　使用又は期間の経過により減価する資産

譲渡所得の基因となる資産が家屋その他使用又は期間の経過により減価する資産である場合の取得費は、上記⑴の合計額から、次に掲げる期間の区分に応じそれぞれに掲げる金額の合計額を控除した金額とする。

①　不動産所得、事業所得、山林所得又は雑所得を生ずべき業務の用に供されていた期間

その期間内の各年分のこれらの所得の金額の計算上必要経費に算入される償却費の額の累積額

②　①以外の期間

同種の減価償却資産の耐用年数の1.5倍の年数（1年未満の端数切捨）により旧定額法に準じて計算した金額に、その期間の年数（6月未満切捨、6月以上切上）を乗じて計算した減価の額

2　相続税額の取得費加算（措法39）　重要度◎

⑴　内　容

相続又は遺贈による財産の取得をした個人で、その相続等について相続税額があるものが、相続後、相続税の申告期限の翌日から3年以内に譲渡した場合のその資産の取得費は、その取得費に次の算式により計算した金額を加算した金額とする。

$$\text{その相続税額} \times \frac{\text{その資産の相続税評価額}}{\text{その相続税に係る課税価格}}$$

⑵　申告要件

この規定は、確定申告書に一定の事項の記載があり、かつ、一定の書類の添付がある場合に限り適用する。

但し、宥恕規定がある。

4－1－1 配偶者居住権等が消滅等した場合の取得費

（法60②③、令169の２）

1　配偶者居住権等を有する者（配偶者）

相続（限定承認に係るものを除く。以下同じ。）又は遺贈（包括遺贈のうち限定承認に係るものを除く。以下同じ。）により取得した次の権利が対価の支払いを受け消滅した場合の取得費は、次のそれぞれによる。

⑴　配偶者居住権

相続時における配偶者居住権の取得費相当額（相続時におけるその建物の取得費相当額のうち配偶者居住権の相続税評価額に対応する金額）により取得したものとし、その金額から相続時から消滅時までの期間の**減価の額**を控除した金額

⑵　配偶者敷地利用権

相続時における配偶者敷地利用権の取得費相当額（相続時におけるその土地の取得費相当額のうち配偶者敷地利用権の相続税評価額に対応する金額）により取得したものとし、その金額から相続時から消滅時までの期間の**減価の額**を控除した金額

2　相続等により取得した者（所有者）

相続又は遺贈により取得した次の資産を譲渡した場合の取得費は、次のそれぞれによる。

⑴　配偶者居住権の目的となっている建物

配偶者居住権が設定されていないものとして計算したその建物の取得費から、１⑴の配偶者居住権の取得費を控除した金額。

⑵　配偶者居住権の目的となっている建物の敷地の用に供される土地

配偶者居住権が設定されていないものとして計算したその土地の取得費から、１⑵の配偶者敷地利用権の取得費を控除した金額。

［補　足］

配偶者居住権及び配偶者敷地利用権の譲渡による所得は、**取得時期を承継**の上、**総合課税**される。

4−2 生活に通常必要でない資産の災害等による損失

1　生活に通常必要でない資産の意義（令178）　重要度○

生活に通常必要でない資産とは、次に掲げる資産をいう。

⑴　競走馬（事業用を除く。）その他射こう的行為の手段となる動産

⑵　別荘その他主として趣味、娯楽、保養又は鑑賞の目的で所有する資産（⑴及び⑶に該当するものを除く。）

⑶　生活用動産のうち、譲渡した場合に非課税とされないもの

2　内　容（法62、令178）　重要度○

⑴　取扱い

居住者が、災害又は盗難若しくは横領により、生活に通常必要でない資産について受けた損失の金額（直前の取得費相当額を基礎として計算し、保険金等により補てんされる部分の金額を除く。）は、その者のその損失の生じた日の属する年分又はその翌年分の譲渡所得の金額の計算上控除すべき金額とみなす。

⑵　控除の順序

①　損失の金額は、まず、損失発生年分の譲渡所得の金額の計算上、総合短期譲渡所得の金額から控除し、控除しきれない損失の金額は、総合長期譲渡所得の金額から控除する。

②　①によりなお控除しきれない損失の金額があるときは、これをその翌年分の譲渡所得の金額の計算上、①に準じて控除する。

参　考

●　所得税法における『生活に必要でない資産』に関する規定

１　**災害等により損失を受けた場合の特例（法62）⇒ この規定（優遇措置）**

損失の金額を、譲渡所得の金額の計算上控除できる（１年間繰越控除）

２　**損益通算の特例（法69②）⇒ ５－３ 損益通算（不利な措置）**

所得の金額の計算上生じた損失の金額は、損益通算の対象外

（例）　別荘の貸付損失の金額（不動産所得）

別荘、ゴルフ会員権などの譲渡損失の金額（譲渡所得）

4−3 借地権等設定により権利金を受け取った場合

1　不動産所得となる場合（法26、90）　重要度◎

⑴　不動産を使用させることによる権利金に係る所得は、原則として、不動産所得として総合課税される。

⑵　不動産所得となる権利金のうち、契約期間が３年以上、かつ、その金額が使用料年額の２倍以上であるものに係る所得は臨時所得とされ、一定の要件に該当するときは、平均課税による税額計算の適用がある。

2　譲渡所得となる場合（令79）　重要度◎

⑴　借地権（建物又は構築物の所有を目的とする地上権又は賃借権をいう。）又は一定の地役権の設定により支払を受ける権利金の額が、次の金額を超える場合には、その権利金に係る所得は、短期譲渡所得の金額又は長期譲渡所得の金額として分離課税される。

$$\text{その土地の価額（上下空間を制限するものは、その２分の１）} \times \frac{5}{10}$$

⑵　権利金の額が使用料年額の20倍相当額以下である場合には、その設定は、譲渡行為に該当しないものと推定する。

3　事業所得又は雑所得となる場合（令94②）　重要度○

借地権等の設定が上記２⑴に該当する場合で、継続的に行われるものであるときは、その権利金に係る所得は、事業所得又は雑所得として総合課税される。

4　譲渡所得等の金額（令174）　重要度○

上記２⑴又は３に該当する場合における、譲渡所得等の金額は、⑴の金額から⑵の金額を控除して計算した金額とする。

⑴　**総収入金額**

権利金の額

⑵　**取得費等又は必要経費**

$$\text{その土地の取得費} \times \frac{\text{権利金の額}}{\text{権利金の額＋底地価額}} + \text{仲介手数料等の額}$$

参　考

●　借地権に関連する取扱い

1　借地権の設定により支払った権利金

借地権の設定に伴い支出した権利金は、借地権の取得価額を構成する。

2　借地権の存続期間の更新に際し授受される更新料

(1)　取得した者（法26、90）

借地権の存続期間の更新に際して取得した更新料は、不動産所得として総合課税される。

なお、一定の要件に該当するときは、平均課税の適用がある。

(2)　支払った者（法２①十八、令182）

借地権の存続期間の更新に際して支払った更新料は、借地権の取得価額に加算される。

なお、その借地権が業務の用に供されているときは、次の算式により計算した金額をその更新した日の属する年分のその業務に係る所得の金額の計算上必要経費に算入する。

$$\text{更新直前の借地権の取得費} \times \frac{\text{更新料の額}}{\text{更新時における借地権の価額}}$$

4−4 無償又は低額による資産の移転

（注）贈与等により非居住者に資産が移転した場合の特例等を除く

1　移転した者の取扱い

重要度◎

⑴　棚卸資産等（法40①）

①　次の事由により、居住者の有する棚卸資産（準棚卸資産、暗号資産、事業所得の基因となる山林及び有価証券を含む。）の移転があった場合には、そのそれぞれに掲げる金額相当額は、その者のその事由が生じた日の属する年分の事業所得の金額又は雑所得の金額の計算上、総収入金額に算入する。

イ　贈与（相続人に対する死因贈与を除く。）又は遺贈（包括遺贈及び相続人に対する特定遺贈を除く。）

……その贈与又は遺贈の時におけるその棚卸資産の価額

ロ　著しく低い価額の対価による譲渡

……その対価の額とその譲渡の時におけるその棚卸資産の価額との差額のうち実質的に贈与をしたと認められる金額

②　相続、相続人に対する死因贈与、包括遺贈又は相続人に対する特定遺贈により①の資産の移転があった場合は、課税されない。

⑵　譲渡所得の基因となる資産等（法59）

①　次の事由により、居住者の有する山林（事業所得の基因となるものを除く。）又は譲渡所得の基因となる資産の移転があった場合には、その者の山林所得の金額、譲渡所得の金額又は雑所得の金額の計算については、その事由が生じた時に、その時における価額相当額により、これらの資産の譲渡があったものとみなす。

イ　贈与（法人に対するものに限る。）又は相続（限定承認に係るものに限る。）若しくは遺贈（法人に対するもの及び個人に対する包括遺贈のうち限定承認に係るものに限る。）

ロ　著しく低い価額（時価の２分の１未満）の対価による譲渡（法人に対するものに限る。）

②　居住者が、①の資産を個人に対し時価の２分の１未満の対価により譲渡した場合において、その対価の額が必要経費又は取得費及び譲渡費用の額の合計額に満たないときは、その不足額はなかったものとみなす。

③　個人に対する贈与、限定承認以外の相続、個人に対する遺贈（限定承認に係る包括遺贈を除く。）により①の資産の移転があった場合は、課税されない。

⑶　**その他**

①　**寄附金控除**（法78）

居住者が、国等に対して資産を贈与又は遺贈した場合には、その贈与等の時における価額相当額を特定寄附金の額とする。

②　**国等に対する贈与等の非課税**（措法40①⑲）

居住者が、上記⑵の資産を国等に対し贈与又は遺贈した場合には、その贈与等はなかったものとみなす。

この場合、特定寄附金の額は、非課税相当額を控除した金額とされる。

③　**必要経費算入**（法37）

居住者が、業務の遂行上必要な資産の贈与をした場合には、その資産の価額相当額は、事業所得等の金額の計算上必要経費に算入する。

2　取得した者の取扱い

重要度◎

⑴　**資産の取得による所得**

①　**個人からの取得**（法９①十七）

相続、遺贈又は個人からの贈与若しくは低額譲受けにより資産を取得したことによる所得については、所得税を課さない。

②　**法人からの取得**（法34）

法人からの贈与又は低額譲受けにより資産を取得したことによる所得は、原則として一時所得として課税される。

⑵　**個人からの受贈資産等に付すべき取得価額等**

①　**棚卸資産等**（法40②）

イ　上記１⑴①により取得した資産

取得時における価額相当額で取得したものとみなす。

ロ　上記１⑴②により取得した資産

被相続人が選定している評価方法による被相続人死亡時における評価額を取得価額とする。

②　**譲渡所得の基因となる資産等**（法60）

イ　上記１⑵①により取得した資産

取得時における価額相当額で取得したものとみなす。

ロ　上記１⑵②及び③により取得した資産

相続人等が引き続き所有していたものとみなす。

③　**利子所得等の基因となる資産**（法67の４）

相続人等が引き続き所有していたものとみなす。

参　考

● 譲渡所得の基因となる資産等が、時価課税される場合（法59①）

【法人・個人別】に区分

(1) **法人**に対する**贈与**、**遺贈**又は**低額譲渡**

　… 個人の値上益を法人に承継させられないため、値上益に課税する

(2) **限定承認**に係る**相続**又は個人に対する**限定承認**に係る**包括遺贈**

　… 限定承認の効果を半減させないため、値上益に課税する

● 資産の無償移転の３形態

1　相　続

死亡した人（**被相続人**）の一切の権利義務を、被相続人の一定の親族（**相続人**）が包括的に承継すること（**民法上の相続権による移転**）

2　遺　贈

遺言による**死亡した人の意思**による、財産の無償移転

遺贈
- 包括遺贈 … 一定割合で、包括的に権利義務を承継するもの
  ※ **包括受遺者**は、相続人と同一の権利義務を有する。
- 特定遺贈 … 具体的な財産を特定するもの

3　贈　与

自己の財産を無償で相手側に与えるという意思表示をし、相手側がこれを受諾することで成立する契約

※　**死因贈与**とは、贈与者の死亡によって効力を生ずる贈与をいい、遺贈に準じて取扱われる。

●　相続（包括遺贈を含む）の承認等

⑴　**単純承認** … 被相続人の権利・義務を、**無限に承継**する。

⑵　**限定承認** … 相続財産を限度として、**債務を承継**する。

⑶　**放　　棄** … 被相続人の権利も義務も、**いっさい承継しない**。

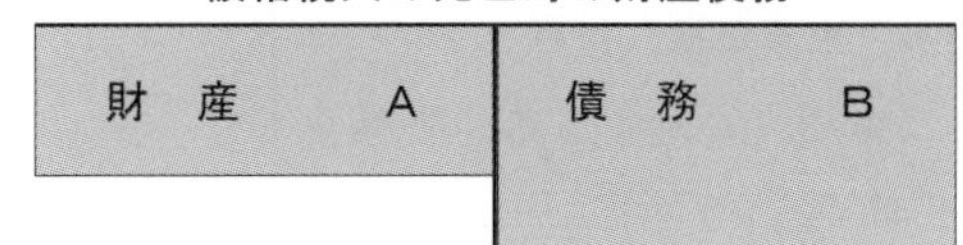

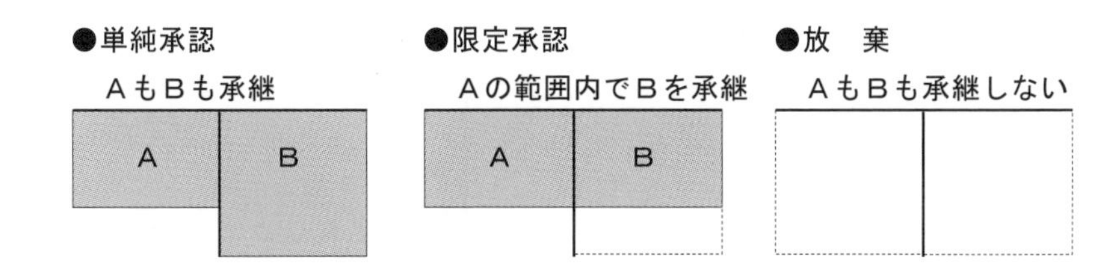

●　限定承認に係る相続と包括遺贈を時価課税する意味

相続人等が、被相続人等の**取得価額等を承継**すると、相続人等がその**資産を譲渡したとき**に被相続人等の値上益に対する所得税の負担を負うことになり、**相続財産を超える負担**が生じてしまう。

そこで、**限定承認の効果を半減させないため**に、被相続人等の**死亡時**に、被相続人等に**時価課税**する。

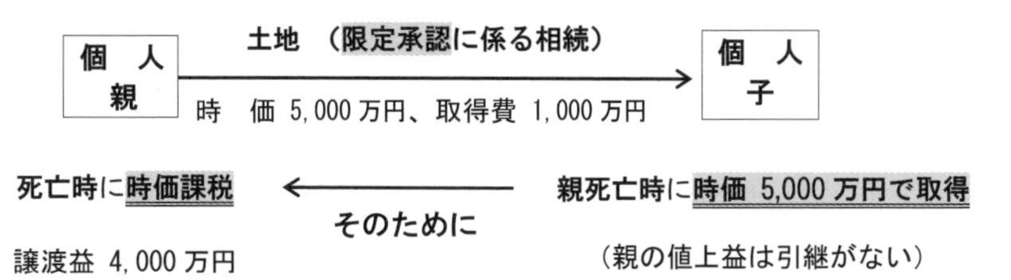

● 無償等による移転があった場合の整理

1 棚卸資産等（法40①②）

移転事由	贈与者等（法40①）	受贈者等（法40②等）
(1) 相続等（事業承継）以外 贈与（相続人に対する死因贈与を除く。） 遺贈（包括遺贈及び相続人に対する特定遺贈を除く。） 低額譲渡	時価課税 （売上高等に計上）	時価取得
(2) 相続等（事業承継） 相続 包括遺贈 相続人に対する死因贈与、特定遺贈	課税されない	取得価額承継
(3) (1)、(2)以外	通常課税	実際の取得価額

※ ［網掛け］は、規定なし。

２　譲渡所得の基因となる資産等（法59、60）

移転事由		贈与者等	受贈者等
相手	事由	（法59）	（法60）
法人	贈与、遺贈、低額譲渡	時価課税	――――
	上記以外	通常課税	――――
個人	**限定承認**に係る相続、包括遺贈	時価課税	時価取得
	上記以外の贈与、相続、遺贈	課税されない	引き続き所有していたものとみなす
	低額譲渡、かつ、譲渡損	譲渡損はなかったものとみなす	
	上記以外	通常課税	実際の取得時期・取得費

※（網掛け）は、規定なし。

4－4－1　資産を無償で取得した場合の所得税法上の取扱い

1　資産の取得による所得

(1)　個人からの取得（法９①十七）

相続、遺贈又は個人からの贈与により資産を取得したことによる所得については、所得税を課さない。

(2)　法人からの取得（法34）

法人からの贈与により資産を取得したことによる所得は、原則として一時所得として課税される。

但し、業務に関して受ける場合には、その業務に係る所得とされる。

なお、国庫補助金等の特例などがある。

2　個人からの受贈資産等に付すべき取得価額等

(1)　棚卸資産等（法40②）

①　贈与（相続人に対する死因贈与を除く。）又は遺贈（包括遺贈及び相続人に対する特定遺贈を除く。）により取得した移転した者の有していた棚卸資産（準棚卸資産、暗号資産、事業所得の基因となる山林及び有価証券を含む。）は、取得時における価額相当額で取得したものとみなす。

②　相続、相続人に対する死因贈与、包括遺贈又は相続人に対する特定遺贈により取得した①の資産は、被相続人が選定している評価方法による被相続人死亡時における評価額を取得価額とする。

(2)　譲渡所得の基因となる資産等（法60）

①　相続（限定承認に係るものに限る。）又は遺贈（個人に対する包括遺贈のうち限定承認に係るものに限る。）により取得した移転した者の有していた山林（事業所得の基因となるものを除く。）又は譲渡所得の基因となる資産は、取得時における価額相当額で取得したものとみなす。

②　個人に対する贈与、限定承認以外の相続、個人に対する遺贈（限定承認に係る包括遺贈を除く。）により取得した①の資産は、相続人等が引き続き所有していたものとみなす。

(3)　利子所得等の基因となる資産（法67の４）

相続人等が引き続き所有していたものとみなす。

●　無償移転で時価課税される規定

1　棚卸資産等（法40）

(1)　対象資産

棚卸資産（準棚卸資産、暗号資産、事業所得の基因となる山林及び有価証券を含む）

(2)　対象事由

贈与（相続人に対する死因贈与を除く）又は遺贈（包括遺贈及び相続人に対する特定遺贈を除く）

2　譲渡所得の基因となる資産等（法59）

(1)　対象資産

山林（事業所得の基因となるものを除く）又は譲渡所得の基因となる資産

(2)　対象事由

贈与（法人に対するものに限る。）又は相続（限定承認に係るものに限る。）若しくは遺贈（法人に対するもの及び個人に対する包括遺贈のうち限定承認に係るものに限る。）

3　非居住者に贈与等した有価証券等（法60の３）⇒　４－５

(1)　対象資産

居住者の有する有価証券等又は未決済取引等

(2)　対象事由

非居住者に贈与、相続又は遺贈による移転

［適用除外］

贈与等の時における対象資産の合計額が１億円未満の場合等

4-5 国外転出時課税

1　国外転出をする場合の特例（法60の２）　重要度◎

⑴　内　容

国外転出（国内に住所及び居所を有しないこととなることをいう。）をする居住者が、国外転出時に有価証券等又は未決済取引等（以下「対象資産」という。）を有する場合（対象資産の国外転出時等の合計額が１億円未満であるなどの場合を除く。）には、その者の事業所得の金額、譲渡所得の金額又は雑所得の金額の計算については、国外転出時（出国の場合には、国外転出予定日の３月前の日）に、次のように取扱う。

①　有価証券等は、その時の価額相当額で譲渡したものとみなす。

②　未決済取引等は、未決済取引等を決済したものとみなす。

⑵　取り消すことができる場合

次の対象資産は、課税を取り消すことができる。

①　国外転出日から５年（期限延長を受けている場合は10年。以下同じ。）以内に、帰国をした場合　…　帰国時に有している対象資産

②　国外転出日から５年以内に、対象資産を居住者に贈与等した場合　…　贈与等した対象資産

2　非居住者に贈与等した場合の特例（法60の３）　重要度◎

⑴　内　容

居住者の有する対象資産が、贈与、相続又は遺贈（以下「贈与等」という。）により非居住者に移転した場合（対象資産の贈与等の時の合計額が１億円未満であるなどの場合を除く。）には、その居住者の事業所得の金額、譲渡所得の金額又は雑所得の金額の計算については、贈与等の時に、次のように取扱う。

①　有価証券等は、その時の価額相当額で譲渡したものとみなす。

②　未決済取引等は、未決済取引等を決済したものとみなす。

⑵　取り消すことができる場合

次の対象資産は、課税を取り消すことができる。

①　贈与等の日から５年以内に、受贈者等が帰国をした場合　…　帰国時に有している対象資産

②　贈与等の日から５年以内に、受贈者等が対象資産を居住者に贈与等した場合　…　贈与等した対象資産

3　取得価額等の付け替え（法60の２、60の３）　重要度△

⑴　この特例の適用を受けた有価証券等は、国外転出時に**その価額**により取得したものとみなされる。

⑵　この特例の適用を受けた未決済取引等は、その決済があった場合に、国外転出時に決済したものとみなされた**利益の額**は減算、**損失の額**は加算する。

4　納税の猶予（法137の２、137の３）　重要度△

この特例の適用を受けた場合で、**確定申告期限までに納税猶予額に相当する担保を供した**など一定のときは、**５年４月**（又は10年４月）その納税を猶予する。

5　是正手続等（法153の２等）　重要度△

この特例の適用を受けた場合で、**５年**（又は10年）以内に**帰国**をした場合その他一定の場合により、その申告書等に係る課税標準等又は税額等が過大又は過少であるときは、**帰国等をした日から４月以内**に、税務署長に対し、更正の請求又は修正申告をすることができる。

参　考

●　是正手続〈任　意〉

【譲渡益のケース】

転　出　時	時　価　課　税	取得価額	取り消す場合
時　価　10,000 取得費　4,000	10,000 － 4,000 ＝ 6,000	10,000	税額が過大→**更正の請求** 手続後の取得価額 4,000

【譲渡損のケース】

転　出　時	時　価　課　税	取得価額	取り消す場合
時　価　4,000 取得費　10,000	4,000 －10,000 ＝△ 6,000	4,000	税額が過少 → **修正申告** 手続後の取得価額 10,000

4−6 固定資産の交換の所得税法の特例

■趣　旨■

資産の交換も譲渡の一形態であり、交換取得資産の価額をもって譲渡したものとされる（法36）が、一定の交換については、取引の実質的効果が同一資産を継続して所有していることと変わらないことなどから、課税を繰延べる特例が認められている。

１　内　容（法58①）　重要度◎

居住者が、各年において、次の２の要件を満たす場合には、その交換譲渡資産の譲渡はなかったものとみなす。

但し、交換取得資産とともに金銭その他の資産を取得した場合には、その金銭その他の資産の価額相当額（受取交換差金等の額）は、次により課税される。

⑴　総収入金額

受取交換差金等の額

⑵　取得費・譲渡費用

$$（取得費＋譲渡費用）\times \frac{受取交換差金等の額}{交換取得資産の価額＋受取交換差金等の額}$$

２　要　件（法58①②）　重要度◎

⑴　互いに１年以上有していた固定資産（交換取得資産については、相手方が交換のために取得したと認められるものを除く。）を交換したこと。

⑵　交換取得資産と交換譲渡資産は、次の同一区分内での資産であること。

①　土　地（借地権等を含む。）

②　建　物（建物附属設備及び構築物を含む。）

③　機械及び装置

④　船　舶

⑤　鉱業権（租鉱権等を含む。）

⑶　交換取得資産を、交換譲渡資産の譲渡直前の用途と同一の用途に供したこと。

⑷　交換時における交換取得資産の価額と交換譲渡資産の価額との差額が、これらの価額のうちいずれか多い価額の20%相当額を超えないこと。

3　取得価額等（令168）　重要度◎

⑴　交換取得資産の取得価額

①　交換差金等を取得していない場合

（取得費＋譲渡費用）＋ 支払交換差金等の額＋取得経費

②　交換差金等を取得している場合

$$（取得費＋譲渡費用）\times \frac{交換取得資産の価額}{交換取得資産の価額＋受取交換差金等の額} ＋ 取得経費$$

⑵　交換取得資産を譲渡した場合

この特例の適用を受けた交換取得資産を譲渡した場合には、交換譲渡資産の取得時期により短期及び長期の判定を行う。

4　申告要件（法58③④）　重要度◎

この規定は、確定申告書に一定の事項の記載がある場合に限り適用する。
但し、宥恕規定がある。

4－6－1　株式交換等に係る譲渡所得等の特例（法57の4）

1　株式交換の特例

⑴　取扱い

株式を株式交換により親法人に譲渡し、その法人の株式のみの交付を受けた場合には、その株式の譲渡はなかったものとみなす。

なお、取得した株式の取得価額は、譲渡した株式の取得価額を引き継ぐ。

⑵　株式交換の意義

株式交換とは、親法人が他の会社を100％子会社とするために、その子会社となる会社の株主に、自社の株式を割り当てることをいう。

2　株式移転の特例

⑴　取扱い

株式を株式移転により親法人に譲渡し、その法人の株式のみの交付を受けた場合には、その株式の譲渡はなかったものとみなす。

なお、取得した株式の取得価額は、譲渡した株式の取得価額を引き継ぐ。

⑵　株式移転の意義

株式移転とは、発行済株式の全部を新設した親法人に移転し、これによって子会社となる会社の株主に、親法人の株式を割り当てることをいう。

【図　解】

1　株式交換（A社によるB社の100%子会社化）

A社がB社を100%子会社化するために、B社株主に**B社株式とA社株式とを交換**してもらうことをいう。

B社株主は、**A社株式のみ取得**などの要件を満たす場合、**B社株式の譲渡課税はされず、A社株式の取得価額はB社株式の取得価額を承継**する。

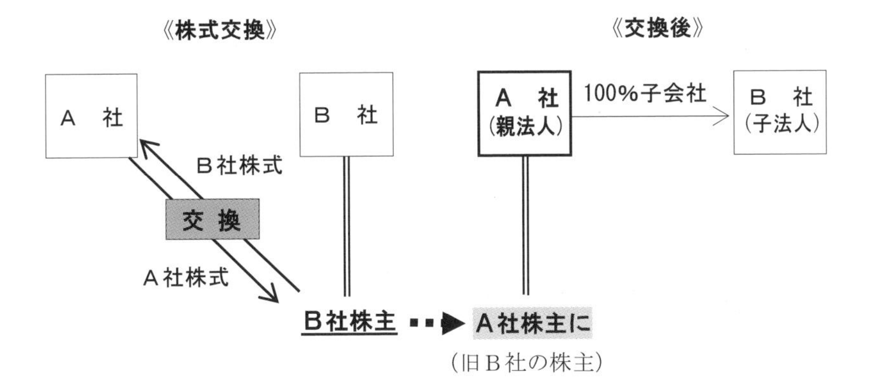

2　株式移転（持株会社化）

C社・D社株主が、**新設法人X社に所有株式を譲渡してX社株式を取得**した場合で一定の要件を満たすときは、**その譲渡課税はされず、X社株式の取得価額は譲渡株式の取得価額を承継**する。

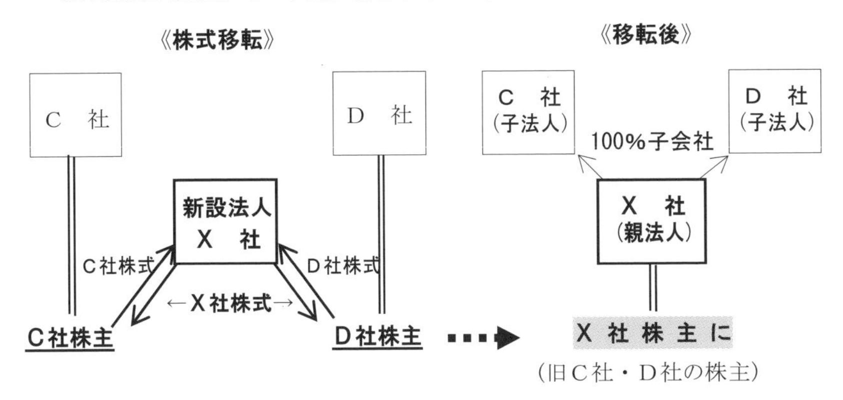

居住用財産を譲渡した場合の課税の特例

（注）被相続人居住用家屋等を除く

1　特定の居住用財産の買換えの特例（措法36の２）　重要度◎

⑴　個人がその年１月１日における所有期間が10年を超える居住用財産（居住期間が10年以上であるものに限る。以下「譲渡資産」という。）を譲渡（譲渡対価が１億円超のものを除く。）した場合において、その者の居住の用に供する家屋又はその敷地の用に供する土地等で一定のもの（以下「買換資産」という。）を取得し、居住の用に供した又はその見込みであるときは、その収入金額のうち買換資産の取得に充てられた部分については、譲渡がなかったものとする。

なお、前年中先行取得、翌年中見込取得が認められる。

⑵　買換資産の取得価額は、譲渡資産の取得費及び譲渡費用の額の合計額（課税された部分を除く。）を承継する。

2　特別控除（措法35）　重要度◎

個人が居住用財産を譲渡した場合には、その譲渡に係る短期譲渡所得の金額又は長期譲渡所得の金額から3,000万円の特別控除額を控除する。

3　軽減税率の特例（措法31の３）　重要度◎

個人がその年１月１日における所有期間が10年を超える居住用財産を譲渡した場合には、その譲渡に係る課税長期譲渡所得金額に対する税率は10％（6,000万円を超える部分は15％）とする。

4　適用除外（措法31の３、35、36の２）　重要度○

１から３の規定は、配偶者等特別の関係がある者に対する譲渡、他の措置法の課税の特例を受ける譲渡等については適用しない。

5　申告要件（措法31の３、35、36の２）　重要度○

１から３の規定は、確定申告書に一定の事項の記載があり、かつ、一定の書類の添付がある場合に限り適用する。

但し、宥恕規定がある。

６　居住用財産の意義（措法31の３、35、36の２）

重要度◎

居住用財産とは、次の家屋又は土地等（⑵又は⑷は居住の用に供されなくなった日から３年を経過する日の属する年の12月31日までの間に譲渡されるものに限る。）をいう。

⑴　居住の用に供している家屋

⑵　居住の用に供されなくなった家屋

⑶　⑴又は⑵の家屋及びその敷地の用に供されている土地等

⑷　災害により滅失した居住用家屋（１又は３の特例は、引き続き所有していたとしたならば、その年１月１日における所有期間が10年を超えるものに限る。）の敷地の用に供されていた土地等

● 被相続人居住用家屋等の特別控除（措法35③～⑤）

1　内　容

相続人等が、相続等により取得した被相続人居住用家屋及びその敷地等の一定の譲渡（相続開始から３年を経過する日の属する年の12月31日までの間に譲渡されるものに限り、譲渡対価が１億円超のものを除く。）をした場合には、居住用財産を譲渡したものとみなし、3,000万円の特別控除の適用がある。

被相続人居住用家屋等の取得をした相続人等が３人以上である場合には、特別控除額は 2,000万円とされる。

なお、相続税額の取得費加算との選択適用とされる。

※　一定の譲渡

①　耐震改修の上、その家屋とその敷地等の譲渡

②　その家屋を取り壊し等の上、その敷地等の譲渡

③　譲渡時から譲渡年の翌年２月15日までの間に、その家屋を耐震改修した場合又は取り壊し等した場合

2　被相続人居住用家屋等の意義

被相続人居住用家屋とは、その被相続人の居住の用に供されていた次の要件を満たす一定の家屋をいい、被相続人居住用家屋の敷地等とは、その敷地の用に供されていた一定の土地等をいう。

①　昭和56年５月31日以前に建築されたこと

②　区分所有する建物でないこと

③　相続開始直前（特定事由に該当する場合には、その直前）において被相続人以外に居住をしていた者がいなかったこと

3　申告要件

この規定は、確定申告書に一定の事項の記載があり、かつ、一定の書類の添付がある場合に限り適用する。

但し、宥恕規定がある。

（MEMO）

株式等に係る譲渡所得等の金額

（注）特定株式及び非課税口座を除く

1　一般株式等に係る譲渡所得等の金額（措法37の10）　重要度◎

⑴　居住者が、一般株式等の譲渡（有価証券先物取引によるものを除く。）をした場合には、その株式等の譲渡による事業所得、譲渡所得及び雑所得については、他の所得と区分し、一般株式等に係る譲渡所得等の金額（課税所得金額は、一般株式等に係る課税譲渡所得等の金額）として、その15%相当額の所得税を課する。

⑵　一般株式等とは、次に掲げる株式等（外国法人に係るものを含み、ゴルフ会員権等を除く。）のうち、上場株式等に該当しないものをいう。

①　株式（投資法人の投資口、新株予約権等を含む。）

②　出資

③　投資信託の受益権

④　公社債など

⑶　一般株式等に係る譲渡損失の金額は、生じなかったものとみなす。

2　上場株式等に係る譲渡所得等の金額（措法37の11）　重要度◎

⑴　居住者が、上場株式等の譲渡（有価証券先物取引によるものを除く。）をした場合には、その株式等の譲渡による事業所得、譲渡所得及び雑所得については、他の所得と区分し、上場株式等に係る譲渡所得等の金額（課税所得金額は、上場株式等に係る課税譲渡所得等の金額）として、その15%相当額の所得税を課する。

⑵　上場株式等とは、次に掲げる株式等をいう。

①　金融商品取引所に上場されている株式等

②　公募投資信託の受益権

③　特定投資法人の投資口

④　特定公社債など

３　上場株式等に係る譲渡損失の特例（措法37の12の２）　重要度○

⑴　**損益通算**

確定申告書を提出する居住者のその年分の上場株式等に係る譲渡損失の金額は、その年分の上場株式等に係る配当所得等の金額の計算上控除する。

⑵　**繰越控除**

確定申告書を提出する居住者のその年の前年以前３年内の各年において生じた上場株式等に係る譲渡損失の金額は、その年分の上場株式等に係る譲渡所得等の金額及び上場株式等に係る配当所得等の金額の計算上控除する。

４　特定口座内保管上場株式等の特例　重要度◎

⑴　**所得計算等の特例**（措法37の11の３）

居住者が、特定口座内保管上場株式等を譲渡した場合には、その譲渡所得等の金額と他の上場株式等の譲渡による譲渡所得等の金額とを区分して、これらの金額を計算するものとする。

⑵　**源泉徴収等の特例**（措法37の11の４）

①　**源泉徴収の特例**

居住者が、源泉徴収を選択した特定口座（以下「源泉徴収選択口座」という。）に係る上場株式等の譲渡対価の支払を受ける場合で、通算所得金額が直前通算所得金額を超えるときは、その支払を受ける際、その超える部分の金額の15%相当額の所得税額が源泉徴収される。

②　**源泉徴収税額の還付**

①の場合で、通算所得金額が直前通算所得金額に満たないときは、その満たない部分の金額の15%相当額の所得税額が還付される。

⑶　**申告不要**（措法37の11の５）

源泉徴収選択口座に係る上場株式等に係る譲渡所得等の金額及びその損失の金額については、その金額を除外したところにより、確定申告をすることができる。

５　復興特別所得税（復財法12、13、17、28）　重要度○

所得税の確定申告書を提出する者は、基準所得税額の2.1%の復興特別所得税が課税される。

4－8－1　株式を譲渡した場合の所得

（注）ゴルフ場等の施設利用権に類似する株式、有価証券先物取引によるもの、非課税口座、特定株式及び復興特別所得税を除く

1　一般株式等に係る譲渡所得等の金額とされる場合（措法37の10）

⑴　居住者が、株式（上場株式を除く。）の譲渡をした場合には、その株式の譲渡による事業所得、譲渡所得及び雑所得については、他の所得と区分し、一般株式等に係る譲渡所得等の金額（課税所得金額は、一般株式等に係る課税譲渡所得等の金額）として、その15%相当額の所得税を課する。

⑵　一般株式等に係る譲渡損失の金額は、生じなかったものとみなす。

2　上場株式等に係る譲渡所得等の金額とされる場合

⑴　原　則（措法37の11）

居住者が、上場株式の譲渡をした場合には、その株式の譲渡による事業所得、譲渡所得及び雑所得については、他の所得と区分し、上場株式等に係る譲渡所得等の金額（課税所得金額は、上場株式等に係る課税譲渡所得等の金額）として、その15%相当額の所得税を課する。

⑵　上場株式等に係る譲渡損失の特例（措法37の12の２）

①　損益通算

確定申告書を提出する居住者のその年分の上場株式等に係る譲渡損失の金額は、その年分の上場株式等に係る配当所得等の金額の計算上控除する。

②　繰越控除

確定申告書を提出する居住者のその年の前年以前３年内の各年において生じた上場株式等に係る譲渡損失の金額は、その年分の上場株式等に係る譲渡所得等の金額及び上場株式等に係る配当所得等の金額の計算上控除する。

3　特定口座内保管上場株式等の特例

４－８　４参照

参　考

● 『公社債を譲渡した場合の所得』が問われた場合

⑴ 一般株式等とされるもの … 特定公社債以外の公社債（私募債）

⑵ 上場株式等とされるもの … 特定公社債

4-8-2 非課税口座内上場株式等の特例（措法9の8、37の14等）

1 非課税口座内上場株式等の特例

⑴ 配当所得

居住者の非課税口座内上場株式等の配当等は、所得税を課さない。

⑵ 譲渡所得等

居住者が、非課税口座内上場株式等の譲渡をした場合には、その譲渡による事業所得、譲渡所得及び雑所得は、所得税を課さない。

なお、その譲渡損失の金額は、ないものとみなす。

2 非課税口座

非課税口座とは、上記の非課税の適用を受けるために、居住者が金融商品取引業者等と締結した契約に基づいて開設された口座をいい、つみたて投資枠と成長投資枠を設けることができる。

⑴ つみたて投資枠

公募等株式投資信託の受益権の定期かつ継続的な方法による買付け等のみを受け入れることができ、年間の取得対価の合計額の限度額は 120万円とされる。

⑵ 成長投資枠

上場株式等の買付け等を受け入れることができ、年間の取得対価の合計額の限度額は 240万円とされる。

なお、非課税保有限度額は、⑴と⑵の取得対価の合計額で 1,800万円（そのうち⑵の限度額は 1,200万円）とされる。

【参　考】

	つみたて投資枠	成長投資枠
対　　　象	公募等株式投資信託の定期かつ継続的買付け	上場株式等（公募株式投資信託等を含む）
年間取得限度額	120万円	240万円
保有限度額	1,800万円（うち、成長投資枠のみで 1,200万円）	

参　考

●　源泉徴収選択口座に配当等を受け入れている場合

１　内　容

上場株式等の配当等は、源泉徴収選択口座に受け入れることができる。

２　源泉徴収義務

源泉徴収選択口座内配当等は、その交付の際、交付金額の15%相当額の所得税額が徴収される。

３　源泉徴収税額の還付

源泉徴収選択口座に係る上場株式等の譲渡損失の金額がある場合には、年末に、源泉徴収選択口座内配当等の額の総額からその損失の金額を控除した残額の15%相当額を調整後所得税額とし、上記２の徴収税額との差額は還付される。

４　申告不要

源泉徴収選択口座内配当等は、申告不要とすることができる。

なお、源泉徴収選択口座に係る上場株式等の譲渡損失の金額を申告分離課税とする場合には、その配当等は、確定申告しなければならない。

特定中小会社等の株式に係る特例

■趣　旨■

ベンチャー企業への個人投資家の投資を促進するため、次のような特例が設けられている。

１　取得に要した金額の控除の特例（措法37の13）　重要度○

⑴　居住者が払込みにより取得した特定中小会社が発行した株式（以下「特定株式」という。）の取得に要した金額は、申告を要件に、その年分の一般株式等に係る譲渡所得等の金額及び上場株式等に係る譲渡所得等の金額の計算上控除する。

⑵　この特例により控除した金額（一定の特定株式は、控除した金額のうち20億円を超える部分の金額）は、その特定株式の取得価額から控除する。

２　設立特定株式の特例（措法37の13の２）　重要度○

⑴　居住者が払込みにより取得した特定新規中小企業者の設立の際に発行される株式（以下「設立特定株式」という。）の取得に要した金額は、申告を要件に、その年分の一般株式等に係る譲渡所得等の金額及び上場株式等に係る譲渡所得等の金額の計算上控除する。

なお、この特例は、上記１との選択適用とされる。

⑵　この特例により控除した金額のうち20億円を超える部分の金額は、その設立特定株式の取得価額から控除する。

３　譲渡損失等の繰越控除等（措法37の13の３）　重要度○

⑴　価値喪失損失の特例

居住者が払込みにより取得した特定株式が、その設立の日から上場等の日の前日までに、次の事由により価値が喪失したときは、申告を要件に、その損失の金額（取得費相当額）を譲渡損失の金額とみなし、一般株式等に係る譲渡所得等の金額の計算上控除する。

①　その会社が、解散（合併による解散を除く。）し、清算が結了したこと。

②　その会社が、破産法による破産手続開始の決定を受けたこと。

⑵　譲渡損失の特例

居住者の特定株式に係る譲渡損失の金額（一般株式等内通算後の金額）は、申告を要件に、その年分の上場株式等に係る譲渡所得等の金額の計算上控除する。

⑶　譲渡損失の繰越控除

居住者のその年の前年以前３年内の各年において生じた特定株式に係る譲渡損失の金額は、申告を要件に、その年分の一般株式等に係る譲渡所得等の金額及び上場株式等に係る譲渡所得等の金額の計算上控除する。

４　特定新規株式を取得した場合の特例（措法41の18の４）　重要度○

⑴　居住者が払込みにより取得した特定新規中小会社が発行した株式（以下「特定新規株式」という。）の取得に要した金額（800万円を限度）は、寄附金控除を適用することができる。

なお、この特例は、上記１又は２との選択適用とされる。

⑵　この特例により控除した金額は、その特定新規株式の取得価額から控除する。

参　考

●　申告要件について

１から３の規定は、確定申告書に一定の事項の記載があり、かつ、一定の書類の添付がある場合に限り適用する。

Ⅰ　各種所得の金額

摘　　要	金　額	計　　算　　過　　程　　（単位：円）
譲渡所得 （一般株式等） （上場株式等）	 ×× ××	⑴　**譲渡損益** ①　**一般株式等** イ　一般株式等　×× ロ　**特定株式（価値喪失）×××**　…　3⑴ ハ　イ＋ロ＝×× ②　**上場株式等** 上場株式等　×× ⑵　**取得に要した金額の控除など**　…　1又は2 ①　一般株式等　→　②　上場株式等 ⑶　**内部通算**（上場株式との内部通算）…　3⑵ ××－××＝××

Ⅱ　課税標準

摘　　要	金　額	計　　算　　過　　程　　（単位：円）
一般株式等に係る譲渡所得等の金額 上場株式等に係る譲渡所得等の金額	×× ××	⑴　**合計所得金額** ： ⑵　**損失の繰越控除**　…　3⑶ ①　一般株式等　→　②　上場株式等

Ⅲ　所得控除

摘　　要	金　額	計　　算　　過　　程　　（単位：円）
寄附金控除	××	※ ××－2,000円＝××　…　4 ※　取得に要した金額と課×40%の少ない方

参　考

●　株式等の価値喪失損失の取扱い

１　原　則

何ら考慮されない

２　特定株式の特例

特定株式の一定の事由による価値喪失損失は、一般株式等の譲渡損失とみなす。

※　４－９　３　上場株式等との損益通算、３年間繰越控除

３　特定管理株式等の特例（措法37の11の２等）

特定口座内保管上場株式等が上場廃止により、引き続き特定管理口座に保管の委託がされている株式等（特定管理株式等）が、次の事由により価値が喪失したときは、申告を要件に、その損失の金額（取得費相当額）を上場株式等の譲渡損失の金額とみなす。

①　その会社が、解散（合併による解散を除く。）し、清算が結了したこと。

②　その会社が、破産法による破産手続開始の決定を受けたことなど。

※　４－８　３　配当所得等との損益通算、３年間繰越控除

（MEMO）

テーマ

5

課 税 標 準

5−1 課税標準の趣旨と内容

（注）所得金額調整控除及び措置法に規定するものを除く

1　総所得金額（法22②）　重要度◎

⑴　趣　旨

所得税は、所得を総合して超過累進税率により課税することを原則とする。これは量的担税力に応じた課税を行うためのものである。

⑵　内　容

総所得金額は、次に掲げる金額の合計額（損益通算、純損失の繰越控除又は雑損失の繰越控除の適用がある場合には、その適用後の金額）とする。

①　利子所得の金額、配当所得の金額、不動産所得の金額、事業所得の金額、給与所得の金額、総合短期譲渡所得の金額及び雑所得の金額の合計額

②　総合長期譲渡所得の金額及び一時所得の金額の合計額の２分の１相当額

2　退職所得金額（法22③）　重要度◎

⑴　趣　旨

永年の勤務の成果が一時に実現したものであること及び老後の生活保障等の観点から、他の所得と区分し別個の課税標準とし、超過累進税率により課税する。

⑵　内　容

退職所得金額は、退職所得の金額（損益通算、純損失の繰越控除又は雑損失の繰越控除の適用がある場合には、その適用後の金額）とする。

3　山林所得金額（法22③）　重要度◎

⑴　趣　旨

永年の育成の成果が一時に実現したことによる税負担の緩和を図るため、他の所得と区分し別個の課税標準とし、５分５乗方式により課税する。

⑵　内　容

山林所得金額は、山林所得の金額（損益通算、純損失の繰越控除又は雑損失の繰越控除の適用がある場合には、その適用後の金額）とする。

参　考

●　非経常所得の各種所得の金額（課税標準等を含む）の計算

非経常所得は、税負担の緩和を図るために、次のような取扱いがある。

所　得	各種所得の金額	課税標準等
退職所得	・退職所得控除（最低 80万円） 《一種の特別控除》 ・所得計算上２分の１する	別課税標準で分離課税 （超過累進税率）
山林所得	50万円の特別控除	別課税標準で分離課税 （５分５乗方式）
譲渡所得		長期は２分の１総合課税
一時所得		２分の１総合課税

※　経常所得（不動産所得、事業所得、雑所得）の中にも、**変動性の強い所得**（**変動所得**）や臨時的に発生する所得（**臨時所得**）があり、一定の要件を満たす場合には、税負担の平準化及び緩和を図るために、税額計算の特例として、**平均課税**の適用がある。

5−2 所得金額調整控除

1　内　容（措法41の3の11①②）　重要度○

(1)　給与等の収入金額が850万円超で一定の場合

その年の給与等の収入金額が850万円超の居住者で、次のいずれかに該当するものは、総所得金額の計算上、給与等の収入金額（1,000万円を超える場合には、1,000万円）から850万円を控除した金額の10%相当額を給与所得の金額から控除する。

①　特別障害者に該当するもの
②　年齢23歳未満の扶養親族を有するもの
③　特別障害者である同一生計配偶者又は扶養親族を有するもの

(2)　給与所得と公的年金等に係る雑所得がある場合

その年の給与所得控除後の給与等の金額及び公的年金等に係る雑所得の金額がある居住者で、これらの金額の合計額が10万円を超えるものは、総所得金額の計算上、給与所得控除後の給与等の金額（10万円を限度）及び公的年金等に係る雑所得の金額（10万円を限度）の合計額から10万円を控除した残額を給与所得の金額から控除する。

2　年末調整での控除（措法41の3の12）　重要度△

国内において給与等の支払を受ける居住者が年末調整の際に上記1(1)の適用を受けようとする場合には、その年最後に給与等の支払を受ける日の前日までに、「所得金額調整控除申告書」をその給与等の支払者を経由して、納税地の所轄税務署長に提出しなければならない。

3　判定の時期（措法41の3の11③）　重要度△

上記1(1)で、居住者が①から③に該当するかどうかの判定は、その年12月31日（その居住者が年の中途において死亡又は出国する場合には、その死亡又は出国の時）の現況による。

但し、その判定に係る者が既に死亡している場合は、その死亡の時の現況による。

4　用語の意義

重要度△

⑴　障害者とは、精神又は身体に障害がある者で一定のものをいい、特別障害者とは、障害者のうち精神又は身体に重度の障害がある者で一定のものをいう。

⑵　同一生計配偶者とは、居住者の配偶者でその居住者と生計を一にするもの（青色事業専従者等を除く。）のうち、合計所得金額が48万円以下である者をいう。

⑶　扶養親族とは、居住者の親族（その居住者の配偶者を除く。）並びに里子及び養護受託老人でその居住者と生計を一にするもの（青色事業専従者等を除く。）のうち、合計所得金額が48万円以下である者をいう。

5−3 損　益　通　算

（注）一定の居住用財産の譲渡損失の損益通算を除く

1　原　則（法69①、措法31、32、37の10、41の14）　重要度◎

課税標準を計算する場合において、不動産所得の金額、事業所得の金額、山林所得の金額又は譲渡所得の金額の計算上生じた損失の金額（措置法により分離課税とされるものを除く。）があるときは、一定の順序により、これを他の各種所得の金額（措置法により分離課税とされるものを除く。）から控除する。

2　生活に通常必要でない資産に係る所得の特例（法69②）　重要度◎

損益通算の対象となる損失の金額のうちに、生活に通常必要でない資産に係る所得の金額の計算上生じた損失の金額があるときは、その損失の金額は生じなかったものとみなす。

但し、競走馬（事業用を除く。）の譲渡に係る譲渡所得の金額の計算上生じた損失の金額は、その競走馬の保有に係る雑所得の金額から控除し、控除しきれないものは生じなかったものとみなす。

3　土地等負債の利子の不動産所得に係る特例（措法41の４）　重要度◎

不動産所得の金額の計算上生じた損失の金額のうちに、不動産所得を生ずべき業務の用に供する土地等を取得するために要した負債の利子の額があるときは、その損失の金額のうちその負債の利子の額相当額は生じなかったものとみなす。

4　特定組合員等の不動産所得に係る特例（措法41の４の２）　重要度◎

特定組合員等に該当する居住者が、その組合等から生ずる不動産所得の金額の計算上生じた損失の金額があるときは、その損失の金額は生じなかったものとみなす。

5　国外中古建物の不動産所得に係る特例（措法41の４の３）　重要度◎

国外中古建物から生ずる不動産所得の金額の計算上生じた損失の金額があるときは、その損失の金額は生じなかったものとみなす。

6　損益通算の順序（令198）

重要度◎

損益通算は、次の順序により行う。

⑴　不動産所得の金額又は事業所得の金額の計算上生じた損失の金額は、これをまず経常所得の金額から控除する。

⑵　譲渡所得の金額の計算上生じた損失の金額は、これをまず一時所得の金額から控除する。

⑶　⑴の場合において、控除しきれない損失の金額は、これを譲渡所得の金額及び一時所得の金額（⑵の控除後の金額）から順次控除する。

⑷　⑵の場合において、控除しきれない損失の金額は、これを経常所得の金額（⑴の控除後の金額）から控除する。

⑸　⑴から⑷までの場合において、なお控除しきれない損失の金額は、これを山林所得の金額から控除し、控除しきれない損失の金額は、退職所得の金額から控除する。

⑹　山林所得の金額の計算上生じた損失の金額は、これをまず経常所得の金額（⑴又は⑷の控除後の金額）から控除し、控除しきれない損失の金額は、譲渡所得の金額及び一時所得の金額（⑵又は⑶の控除後の金額）から順次控除し、なお控除しきれない損失の金額は退職所得の金額（⑸の控除後の金額）から控除する。

（注１）経常所得の金額とは、利子所得の金額、配当所得の金額、不動産所得の金額、事業所得の金額、給与所得の金額及び雑所得の金額をいう。

（注２）⑶、⑹において、譲渡所得の金額のうちに短期保有に係るものと長期保有に係るものがあるときは、短期保有に係るものから控除する。

7　変動所得の損失等の損益通算（令199）

重要度◎

不動産所得の金額、事業所得の金額又は山林所得の金額の計算上生じた損失の金額のうちに変動所得の損失の金額、被災事業用資産の損失の金額又はその他の損失の金額の２以上があるときは、まず、その他の損失の金額を控除し、次に被災事業用資産の損失の金額及び変動所得の損失の金額を順次控除する。

参　考

● 措置法により分離課税とされるものの特例

１のカッコ書き『**措置法により分離課税とされるものを除く。**』は、次のように、**２と３の間**に、**別の柱**とすることもある。

３　措置法により分離課税とされるものの特例（措法31、32、37の10、37の11、41の14）

⑴　短期譲渡所得の金額又は長期譲渡所得の金額の計算上生じた損失の金額は、一定の居住用財産に係るものを除き、生じなかったものとみなす。

⑵　株式等の譲渡に係る事業所得の金額、譲渡所得の金額又は雑所得の金額の計算上生じた損失の金額は、原則として生じなかったものとみなす。

⑶　先物取引に係る事業所得の金額、譲渡所得の金額又は雑所得の金額の計算上生じた損失の金額は、生じなかったものとみなす。

● 損益通算しても控除しきれない場合

１　純損失の繰越控除（法70）

⑴　損益通算の対象となる損失の金額のうち、損益通算をしてもなお控除しきれない部分の金額を純損失の金額といい、その純損失の金額が青色申告書提出年に生じたものであるときは、申告を要件に、翌年以後３年間（一定のものは５年間）の繰越控除の適用がある。

⑵　純損失の金額が、青色申告書以外の申告書提出年に生じたものであるときは、その純損失の金額のうち変動所得の損失の金額及び被災事業用資産の損失の金額について、申告を要件に、翌年以後３年間（一定のものは５年間）の繰越控除の適用がある。

２　純損失の繰戻し還付（法140）

居住者が青色申告者である場合には、純損失の金額については、一定の手続を要件として、前年分の課税所得金額に繰戻して所得税の還付の適用を受けることができる。

（MEMO）

5-4 純損失の繰越控除

（注）一定の居住用財産の譲渡損失の繰越控除を除く

■趣　旨■

この規定は、担税力の減殺を考慮し、暦年単位課税の例外として設けられている。

１　内　容（法70①②、措法41の５⑧、41の５の２⑧）　重要度◎

確定申告書を提出する居住者のその年の前年以前３年内の各年において生じた純損失の金額（特定非常災害に係る損失の金額、前年以前に控除されたもの、純損失の繰戻しによる還付を受けるべき金額の計算の基礎となったもの及び一定の居住用財産の譲渡損失の特例に規定する特定純損失の金額を除く。）がある場合には、次の区分に応じそれぞれの金額を、その申告書に係る年分の課税標準の計算上控除する。

⑴　純損失の金額が青色申告書を提出した年に生じたものである場合
…　その純損失の金額

⑵　純損失の金額が⑴以外の年に生じたものである場合
…　その純損失の金額のうち変動所得の損失の金額及び被災事業用資産の損失の金額

２　特定非常災害の特例（法70の２）　重要度○

確定申告書を提出する居住者のその年の前年以前５年内の各年において生じた特定非常災害に係る純損失の金額がある場合には、次の区分に応じそれぞれの金額を、その申告書に係る年分の課税標準の計算上控除する。

⑴　事業用資産の被災割合が10％以上である場合

①　純損失の金額が青色申告書を提出した年に生じたものである場合
…　その純損失の金額

②　純損失の金額が①以外の年に生じたものである場合
…　その純損失の金額のうち変動所得の損失の金額及び被災事業用資産の損失の金額

⑵　上記⑴に該当しない場合
……その純損失の金額のうち特定非常災害により生じた被災事業用資産に係る損失の金額

3　純損失の金額の意義（法２①二十五）　重要度◎

純損失の金額とは、損益通算の対象となる損失の金額のうち、損益通算をしてもなお控除しきれない部分の金額をいう。

4　申告要件（法70④）　重要度◎

この規定は、純損失の金額発生年分の所得税につき確定申告書を提出し、かつ、その後において連続して確定申告書を提出している場合に限り適用する。

5　控除の順序（令201）　重要度○

⑴　前年以前３年内（特定非常災害に係る損失の金額については５年内。以下同じ。）の２以上の年において生じた純損失の金額は、最も古い年に生じたものから順次控除する。

⑵　前年以前３年内の一の年において生じた純損失の金額の控除は、次の順序により行う。

①　総所得金額の計算上生じた損失の金額は、総所得金額、山林所得金額又は退職所得金額の計算上順次控除する。

②　山林所得金額の計算上生じた損失の金額は、山林所得金額、総所得金額又は退職所得金額の計算上順次控除する。

⑶　前年以前３年内の一の年において生じた純損失の金額及び雑損失の金額がある場合には、まず、純損失の金額から控除する。

⑷　上記の場合において、特定非常災害に係る損失の金額とそれ以外の損失の金額があるときは、残りの控除年数が短いものから順次控除する。

参　考

1　変動所得の意義（法２①二十三）

変動所得とは、年々の変動の著しい所得のうち次のものをいう。

⑴　漁獲又はのりの採取から生ずる所得

⑵　はまち、まだい、ひらめ、かき、うなぎ、ほたて貝又は真珠（真珠貝を含む。）の養殖から生ずる所得

⑶　原稿又は作曲の報酬に係る所得

⑷　著作権の使用料に係る所得

2　被災事業用資産の損失の金額の意義（法70③）

被災事業用資産の損失の金額とは、次に掲げる資産の災害による損失の金額（災害関連支出の金額を含み、保険金等により補てんされる部分の金額を除く。）で、変動所得の金額の計算上生じた損失の金額に該当しないものをいう。

⑴　棚卸資産

⑵　不動産所得、事業所得又は山林所得を生ずべき事業の用に供される固定資産及び繰延資産

⑶　山　林

（MEMO）

5−5 雑損失の繰越控除

■趣　旨■

この規定は、担税力の減殺を考慮し、暦年単位課税の例外として設けられている。

1　内　容（法71①）　重要度◎

確定申告書を提出する居住者のその年の前年以前３年内の各年において生じた雑損失の金額（特定非常災害に係る雑損失の金額及び雑損控除又はこの規定により前年以前に控除されたものを除く。）がある場合には、その申告書に係る年分の課税標準の計算上控除する。

2　特定非常災害の特例（法71の２）　重要度◎

確定申告書を提出する居住者のその年の前年以前５年内の各年において生じた特定非常災害に係る雑損失の金額がある場合には、その申告書に係る年分の課税標準の計算上控除する。

3　雑損失の金額の意義（法２①二十六）　重要度◎

雑損失の金額とは、雑損控除の対象となる損失の金額の合計額が足切限度額を超える場合におけるその超える部分の金額をいう。

4　申告要件（法71②）　重要度◎

この規定は、雑損失の金額発生年分の所得税につき確定申告書を提出し、かつ、その後において連続して確定申告書を提出している場合に限り適用する。

５　控除の順序（令204）

重要度○

⑴　前年以前３年内（特定非常災害に係る損失の金額については５年内。以下同じ。）の２以上の年において生じた雑損失の金額は、最も古い年に生じたものから順次控除する。

⑵　前年以前３年内の一の年において生じた雑損失の金額は、総所得金額、措置法の課税標準、山林所得金額又は退職所得金額の計算上順次控除する。

⑶　前年以前３年内の一の年において生じた他の繰越控除の対象となる損失の金額及び雑損失の金額がある場合には、まず、他の繰越控除の対象となる損失の金額を控除する。

⑷　上記の場合において、特定非常災害に係る損失の金額とそれ以外の損失の金額があるときは、残りの控除年数が短いものから順次控除する。

5−6 一定の居住用財産の譲渡損失の特例

1　損益通算の特例（措法41の５、41の５の２）　重要度◎

⑴ 内　容

次の譲渡損失の金額は、他の所得と通算することができる。

① 居住用財産の譲渡損失の金額

居住用財産の譲渡損失の金額とは、個人がその年１月１日における所有期間が５年を超える居住用財産（以下「譲渡資産」という。）を譲渡し、その者の居住の用に供する家屋又はその敷地の用に供する土地等で一定のもの（以下「買換資産」という。）を取得して居住の用に供した場合で、取得年の12月31日において買換資産に係る住宅借入金等を有するときの、譲渡資産の譲渡損失の金額をいう。

なお、前年中先行取得、翌年中見込取得が認められる。

② 特定居住用財産の譲渡損失の金額

特定居住用財産の譲渡損失の金額とは、個人が譲渡資産を譲渡した場合で、譲渡契約締結日の前日において譲渡資産に係る住宅借入金等を有するときの、次のいずれか低い金額をいう。

イ　譲渡損失の金額

ロ　住宅借入金等の金額から譲渡対価の額を控除した金額

⑵ 住宅借入金等の範囲

住宅借入金等とは、住宅の取得等に係る一定の借入金等で、償還期間が10年以上の割賦償還の方法により返済するものをいう。

⑶ 損益通算の順序

譲渡損失の金額は、一時所得の金額、経常所得の金額、山林所得の金額又は退職所得の金額から順次控除する。

⑷ 適用除外

この規定は、配偶者等特別の関係がある者に対する譲渡等については適用しない。

⑸ 申告要件

この規定は、確定申告書に、この適用を受けようとする旨の記載があり、かつ、一定の書類の添付がある場合に限り、適用する。

但し、宥恕規定がある。

2　繰越控除の特例（措法41の5、41の5の2）

重要度◎

⑴　内　容

確定申告書を提出する個人のその年の前年以前3年内の年において生じた通算後譲渡損失の金額（前年以前に控除されたものを除く。）がある場合には、その申告書に係る年分の課税標準の計算上控除する。

なお、上記1⑴①に係るものは、その年12月31日において買換資産に係る住宅借入金等を有する場合に限る。

⑵　通算後譲渡損失の金額の意義

通算後譲渡損失の金額とは、純損失の金額のうち、上記1⑴の金額に係るものとして一定の方法により計算した金額をいう。

⑶　控除の順序

この損失の金額は、長期譲渡所得の金額、短期譲渡所得の金額、総所得金額、山林所得金額又は退職所得金額の計算上順次控除する。

⑷　適用除外

この規定は、繰越控除を受けようとする年分の合計所得金額が3,000万円を超える場合には適用しない。

⑸　申告要件

この規定は、上記1⑸の確定申告書をその提出期限までに提出し（宥恕規定あり。）、かつ、その後において連続して確定申告書を提出している場合に限り適用する。

3　居住用財産の意義（措法41の5、41の5の2）

重要度○

居住用財産とは、次の家屋又は土地等（⑵又は⑷は居住の用に供されなくなった日から3年を経過する日の属する年の12月31日までの間に譲渡されるものに限る。）をいう。

⑴　居住の用に供している家屋

⑵　居住の用に供されなくなった家屋

⑶　⑴又は⑵の家屋及びその敷地の用に供されている土地等

⑷　災害により滅失した居住用家屋（引き続き所有していたとしたならば、その年1月1日における所有期間が5年を超えるものに限る。）の敷地の用に供されていた土地等

参　考

●　暦年単位課税の例外規定

<table>
<tr><th colspan="2">区　分</th><th>種　　類</th></tr>
<tr><td rowspan="9">繰越控除</td><td>各種所得</td><td>生活に通常必要でない資産の災害等による損失の繰越控除</td></tr>
<tr><td rowspan="5">課税標準</td><td>①　純損失の繰越控除
（一定の居住用財産の譲渡損失の繰越控除を含む）</td></tr>
<tr><td>②　雑損失の繰越控除</td></tr>
<tr><td>③　上場株式等の譲渡損失の繰越控除</td></tr>
<tr><td>④　特定株式の譲渡損失の繰越控除</td></tr>
<tr><td>⑤　先物取引に係る雑所得等の損失の繰越控除</td></tr>
<tr><td rowspan="3">税額計算</td><td>①　外国所得税額等の繰越控除</td></tr>
<tr><td>②　認定住宅等新築等特別控除額の繰越控除</td></tr>
<tr><td>③　中小事業者の機械等の税額控除額の繰越控除など</td></tr>
<tr><td colspan="2">繰戻還付</td><td>純損失の繰戻し還付</td></tr>
</table>

テーマ

6

所得控除

6−1 所得控除の内容

1　雑損控除（法72）　重要度○

居住者又はその者と生計を一にする親族でその年分の課税標準の合計額が48万円以下であるものの有する資産（一定のものを除く。）について、災害、盗難又は横領による損失が生じた場合（災害等関連支出をした場合を含む。）には、次の控除額を、その居住者のその年分の課税標準から控除する。

〔控除額〕

⑴　損失の金額の合計額
⑵　足切限度額（原則として課税標準の合計額の10％相当額）
⑶　⑴−⑵＝控除額

2　医療費控除（法73）　重要度○

居住者が、自己又は自己と生計を一にする親族に係る医療費を支払った場合には、次の控除額を、その居住者のその年分の課税標準から控除する。

〔控除額〕

⑴　医療費の金額の合計額
⑵　足切限度額（課税標準の合計額の５％相当額と10万円のいずれか低い金額）
⑶　⑴−⑵＝控除額（200万円を限度）

なお、特定一般用医薬品等購入費を支払った場合の特例がある（選択適用）。

3　社会保険料控除（法74）　重要度○

居住者が、自己又は自己と生計を一にする親族の負担すべき社会保険料を支払った場合又は給与から控除される場合には、その支払った金額又はその控除される金額を、その居住者のその年分の課税標準から控除する。

4　小規模企業共済等掛金控除（法75）　重要度○

居住者が、次の掛金を支払った場合には、その支払った金額を、その者のその年分の課税標準から控除する。

⑴　小規模企業共済の掛金
⑵　確定拠出年金の掛金
⑶　心身障害者扶養共済の掛金

5　生命保険料控除（法76）　重要度○

居住者が、次の生命保険料等を支払った場合には、その支払った金額を次の3つに区分し、一定の金額（それぞれ4万円を限度とし、最高で12万円）を、その者のその年分の課税標準から控除する。

⑴　一般生命保険料（⑵、⑶以外のもの）

⑵　介護医療保険料

⑶　個人年金保険料

6　地震保険料控除（法77）　重要度○

居住者が、自己又は自己と生計を一にする親族の有する生活用資産を保険目的とする地震保険料を支払った場合には、その支払った金額（5万円を限度とする。）を、その居住者のその年分の課税標準から控除する。

7　寄附金控除（法78）　重要度○

居住者が、特定寄附金を支払った場合には、次の控除額を、その者のその年分の課税標準から控除する。

〔控除額〕

⑴　特定寄附金の額の合計額（課税標準の合計額の40%相当額を限度）

⑵　足切限度額（2千円）

⑶　⑴－⑵＝控除額

8　障害者控除（法79）　重要度○

⑴　居住者が障害者である場合又は居住者の同一生計配偶者若しくは扶養親族が障害者である場合には、障害者1人につき27万円（同居特別障害者は75万円、その他の特別障害者は40万円）を、その居住者のその年分の課税標準から控除する。

⑵　障害者とは、精神上の障害により事理を弁識する能力を欠く常況にある者、失明者、その他の精神又は身体に障害がある者で一定のものをいう。

⑶　特別障害者とは、障害者のうち精神又は身体に重度の障害がある者で一定のものをいう。

⑷　同居特別障害者とは、同一生計配偶者又は扶養親族が特別障害者で、かつ、居住者又はその居住者の配偶者若しくはその居住者と生計を一にするその他の親族のいずれかとの同居を常況としている者をいう。

9　寡婦控除（法80）

重要度○

⑴　居住者が寡婦である場合には、27万円を、その者のその年分の課税標準から控除する。

⑵　寡婦とは、次の者でひとり親に該当しないものをいう。

①　夫と離婚した後婚姻をしていない者のうち、次の要件を満たすもの

イ　扶養親族を有すること

ロ　合計所得金額が500万円以下であること

ハ　事実上婚姻関係にあると認められる者がいないこと

②　夫と死別した後婚姻をしていない者等のうち、①ロ及びハの要件を満たすもの

10　ひとり親控除（法81）

重要度○

⑴　居住者がひとり親である場合には、35万円を、その者のその年分の課税標準から控除する。

⑵　ひとり親とは、現に婚姻をしていない者等のうち次の要件を満たすものをいう。

①　生計を一にする課税標準の合計額が48万円以下の子を有すること

②　合計所得金額が500万円以下であること

③　事実上婚姻関係にあると認められる者がいないこと

11　勤労学生控除（法82）

重要度○

⑴　居住者が勤労学生である場合には、27万円を、その者のその年分の課税標準から控除する。

⑵　勤労学生とは、学校の学生等で給与所得等を有するもののうち、合計所得金額が75万円以下等の要件を満たすものをいう。

12　配偶者控除（法83）

重要度○

⑴　居住者が控除対象配偶者を有する場合には、最大で38万円（老人控除対象配偶者は48万円）を、その居住者のその年分の課税標準から控除する。

⑵　控除対象配偶者とは、同一生計配偶者のうち、合計所得金額が1,000万円以下である居住者の配偶者をいう。

⑶　同一生計配偶者とは、居住者の配偶者でその居住者と生計を一にするもの（青色事業専従者等を除く。）のうち、合計所得金額が48万円以下である者をいう。

⑷　老人控除対象配偶者とは、控除対象配偶者のうち、年齢70歳以上の者をいう。

13　配偶者特別控除（法83の2）　重要度○

⑴　居住者が生計を一にする合計所得金額が48万円超133万円以下である配偶者（青色事業専従者等を除く。）を有する場合（居住者の合計所得金額が1,000万円以下である場合に限る。）には、一定の金額（38万円から1万円）を、その居住者のその年分の課税標準から控除する。

⑵　この規定は、その配偶者が居住者としてこの規定の適用を受けているなどの場合には適用しない。

14　扶養控除（法84）　重要度○

⑴　居住者が控除対象扶養親族を有する場合には、控除対象扶養親族1人につき38万円（特定扶養親族は63万円、同居老親等は58万円、その他の老人扶養親族は48万円）を、その居住者のその年分の課税標準から控除する。

⑵　扶養親族とは、居住者の親族（その居住者の配偶者を除く。）並びに里子及び養護受託老人でその居住者と生計を一にするもの（青色事業専従者等を除く。）のうち、合計所得金額が48万円以下である者をいう。

⑶　控除対象扶養親族とは、扶養親族のうち、居住者で年齢16歳以上のもの及び非居住者で一定のものをいう。

⑷　特定扶養親族とは、控除対象扶養親族のうち、年齢19歳以上23歳未満の者をいう。

⑸　老人扶養親族とは、控除対象扶養親族のうち、年齢70歳以上の者をいう。

⑹　同居老親等とは、老人扶養親族のうち、居住者又はその居住者の配偶者の直系尊属で、かつ、その居住者又はその配偶者のいずれかとの同居を常況としている者をいう。

15　基礎控除（法86）　重要度○

合計所得金額が2,500万円以下である居住者は、最大48万円を、その者のその年分の課税標準から控除する。

参　考

● 所得控除の趣旨

個人は法人と異なり、生産面のみならず消費面との二面性を有している。

所得控除は、生産面である所得計算では考慮されない消費面での担税力の減殺を考慮しようとするものである。

	趣　　　旨	種　　　類
物的控除	異常な損失や支出によって減殺される担税力の考慮	雑損控除 医療費控除
	社会政策上の要請	社会保険料控除 小規模企業共済等掛金控除 生命保険料控除 地震保険料控除 寄附金控除
人的控除	弱者救済の観点	障害者控除 寡婦控除 ひとり親控除 勤労学生控除
	最低生活費の考慮など	配偶者控除 配偶者特別控除 扶養控除 基礎控除

参　考

● 『課税標準の合計額』が関係する所得控除

本　　人	親　　族
①　雑損控除	①　雑損控除
②　医療費控除	②　ひとり親控除
③　寄附金控除	

● 同一生計親族の事情を考慮している所得控除（10個）

物　的　控　除	人　的　控　除
①　雑損控除	①　障害者控除
②　医療費控除	②　寡婦控除
③　社会保険料控除	③　ひとり親控除
④　地震保険料控除	④　配偶者控除
	⑤　配偶者特別控除
	⑥　扶養控除
※　小規模・生命・寄附金以外	※　勤労学生・基礎以外

● 所得税法に規定する『合計所得金額』が影響する所得控除

①　寡婦控除　…………　**本人**と親族（離婚等の場合）
②　ひとり親控除　……　**本人**（親族(**子**)の要件は、課税標準の合計額）
③　勤労学生控除　……　**本人**
④　配偶者控除　………　**本人**と親族
⑤　配偶者特別控除　…　**本人**と親族
⑥　扶養控除　…………　親族
⑦　障害者控除　………　親族
⑧　基礎控除　…………　**本人**

6−2 雑損控除

■趣　旨■

この規定は、災害等により損害を受けたことによる担税力の減殺を考慮して設けられている。

1　内　容（法72）　重要度◎

居住者又はその者と生計を一にする親族でその年分の課税標準の合計額が48万円以下であるものの有する資産（下記(1)に掲げるものを除く。）について災害又は盗難若しくは横領による損失が生じた場合（その災害等に関連してやむを得ない支出をした場合を含む。）において、その年におけるその**損失の金額の合計額**が足切限度額を超えるときは、**その超える部分の金額**（以下「雑損失の金額」という。）を、その居住者のその年分の課税標準から控除する。

(1)　対象とならない資産

①　生活に通常必要でない資産

②　棚卸資産

③　不動産所得、事業所得又は山林所得を生ずべき事業の用に供される固定資産及び繰延資産

④　山　林

(2)　損失の金額

損失の金額は、直前の資産の価額（使用又は期間の経過により減価する資産は、取得費相当額によることができる。）を基礎として計算し、上記のやむを得ない支出をした金額を含み、保険金等により補てんされる部分の金額を除く。

(3)　足切限度額

①　**原　則**

…　課税標準の合計額の10%相当額

②　災害関連支出の金額**が5万円を超える場合**

…　損失の金額の合計額から災害関連支出の金額のうち5万円を超える部分の金額を控除した金額と①の金額とのいずれか低い金額

③　**損失の金額が全て**災害関連支出の金額**である場合**

…　5万円と①の金額とのいずれか低い金額

2　控除の順序（法87）　重要度○

⑴　所得控除のうちに雑損控除がある場合には、まず雑損控除を行うものとする。

⑵　雑損控除額は、総所得金額、措置法の課税標準、山林所得金額又は退職所得金額から順次控除する。

3　手　続（法120③）　重要度○

雑損控除額の記載のある確定申告書を提出する場合には、控除額の計算の基礎となる金額その他一定の事項を証する書類を確定申告書に添付等しなければならない。

4　雑損失の繰越控除（法71、71の2）　重要度○

その年に生じた雑損失の金額のうちその年分の課税標準から控除しきれない部分の金額は、申告を要件に、その年の翌年以後3年間（特定非常災害に係る損失の金額は5年間）にわたって繰越し、課税標準の計算上控除する。

5　災害減免法との関係（災免法2）　重要度◎

災害により、居住者又は上記1の親族の所有する住宅又は家財に甚大な被害を受け、かつ、災害減免法に規定する合計所得金額が1,000万円以下である居住者については、雑損控除に代えて、災害減免法により所得税の軽減又は免除を受けることができる。

6-2-1 雑損失の金額

1 意 義（一部省略型）

雑損失の金額とは、居住者又はその者と生計を一にする親族でその年分の課税標準の合計額が48万円以下であるものの有する資産（下記に掲げるものを除く。）について災害又は盗難若しくは横領による損失が生じた場合において、その年におけるその**損失の金額**（原則として直前の資産の価額を基礎として計算し、災害等に関連する支出の金額を含み、保険金等により補てんされる部分の金額を除く。）の合計額が**足切限度額**（原則として課税標準の合計額の10%相当額）を超えるときのその超える部分の金額をいう。

［対象とならない資産］

① 生活に通常必要でない資産

② 棚卸資産

③ 不動産所得、事業所得又は山林所得を生ずべき事業の用に供される固定資産及び繰延資産

④ 山 林

2 雑損控除

(1) 内 容

雑損失の金額は、その居住者のその年分の課税標準から控除する。

(2) 控除の順序

① 所得控除のうちに雑損控除がある場合には、まず雑損控除を行うものとする。

② 雑損控除額は、総所得金額、措置法の課税標準、山林所得金額又は退職所得金額から順次控除する。

(3) 手 続

雑損控除額の記載のある確定申告書を提出する場合には、控除額の計算の基礎となる金額その他一定の事項を証する書類を確定申告書に添付等しなければならない。

３　雑損失の繰越控除

⑴　内　容

確定申告書を提出する居住者のその年の前年以前３年内（特定非常災害に係る損失の金額は５年内。以下同じ。）の各年において生じた雑損失の金額（雑損控除又はこの規定により前年以前に控除されたものを除く。）がある場合には、その申告書に係る年分の課税標準の計算上控除する。

⑵　控除の順序

①　前年以前３年内の２以上の年において生じた雑損失の金額は、最も古い年に生じたものから順次控除する。

②　前年以前３年内の一の年において生じた雑損失の金額は、総所得金額、措置法の課税標準、山林所得金額又は退職所得金額の計算上順次控除する。

③　前年以前３年内の一の年において生じた他の繰越控除の対象となる損失の金額及び雑損失の金額がある場合には、まず、他の繰越控除の対象となる損失の金額を控除する。

④　上記の場合において、特定非常災害に係る損失の金額とそれ以外の損失の金額があるときは、残りの控除年数が短いものから順次控除する。

⑶　申告要件

この規定は、雑損失の金額発生年分の所得税につき確定申告書を提出し、かつ、その後において連続して確定申告書を提出している場合に限り適用する。

6-2-2 災害減免法による所得税の減免（災免法2）

1 内 容

次の(1)及び(2)の全てを満たす場合には、雑損控除に代えて、災害減免法により所得税額を軽減又は免除する。

(1) 居住者又はその者と生計を一にする親族でその年分の課税標準の合計額が48万円以下であるものの所有する住宅又は家財について、災害による甚大な被害を受けた場合

(2) 損失発生年分の災害減免法に規定する合計所得金額が 1,000万円以下であるとき

(注) 災害減免法に規定する合計所得金額とは、課税標準の合計額から措置法の特別控除額を控除した金額をいう。

2 取扱い

措置法の税額控除後の税額から、合計所得金額に応じた次の金額を控除する。

(1) 500万円以下の場合 ………………… 所得税額の全部

(2) 500万円超 750万円以下の場合 …… 所得税額の50%相当額

(3) 750万円超 1,000万円以下の場合 … 所得税額の25%相当額

3 申告要件

この規定は、確定申告書等に、一定の事項の記載がある場合に限り適用する。

参　考

●　災害による損失が生じた場合の取扱い

災害の意義を説明し、雑損失の繰越控除のほか、損益通算、純損失の繰越控除、純損失の繰戻し還付など、**延長線上の取扱いまで**解答する。

なお、確定申告での取扱いであれば、6及び7は解答範囲ではない。

1　**災害の意義**（法2①二十七）

災害とは、震災その他の自然現象の異変による災害及び火災その他の人為による異常な災害並びに害虫その他の生物による異常な災害をいう。

2　**必要経費算入**（法51等）

⑴　棚卸資産

⑵　事業用固定資産等

⑶　山　林

⑷　業務用資産等

⑸　損益通算（法69）

⑹　純損失の繰越控除（法70等）

⑺　純損失の繰戻し還付（法140）

3　**譲渡所得の金額の計算上控除**（法62）

生活に通常必要でない資産

4　**雑損控除**（法72）

⑴　内　容

⑵　雑損失の繰越控除（法71等）

（⑸〜⑺及び4⑵　→　延長線上の取扱い）

5　**災免法による減免**（災免法2）

6　**災免法による予定納税額の減額承認申請**（災免法3①）

7　**災免法による源泉徴収税額の徴収猶予等**（災免法3②）

6-2-3 居住者の有する資産が災害により損失を受けた場合

1 **災害の意義**（法２①二十七）

災害とは、震災その他の自然現象の異変による災害及び火災その他の人為による異常な災害並びに害虫その他の生物による異常な災害をいう。

2 **必要経費算入**

⑴ **棚卸資産**（法47）

棚卸資産について災害により生じた損失の金額は、その損失発生年分の事業所得の金額の計算上、必要経費に算入する。

⑵ **事業用固定資産等**（法51①）

居住者の営む不動産所得、事業所得又は山林所得を生ずべき事業の用に供される固定資産及び繰延資産について災害により生じた損失の金額（直前の未償却残額を基礎として計算し、保険金等により補てんされる部分の金額を除く。）は、その者のその損失発生年分のこれらの所得の金額の計算上、必要経費に算入する。

⑶ **山　林**（法51③）

災害により居住者の有する山林について生じた損失の金額（植林費等、育成費用の額の合計額を基礎として計算し、保険金等により補てんされる部分の金額を除く。）は、その者のその損失発生年分の事業所得の金額又は山林所得の金額の計算上、必要経費に算入する。

⑷ **業務用資産等**（法51④）

居住者の不動産所得若しくは雑所得を生ずべき業務の用に供され又はこれらの所得の基因となる資産（山林及び生活に通常必要でない資産を除く。）について災害により生じた損失の金額（直前の未償却残額を基礎として計算し、保険金等により補てんされる部分の金額及び上記⑵又は下記４に規定するものを除く。）は、それぞれその者のその損失発生年分の不動産所得の金額又は雑所得の金額（この規定適用前の金額）を限度として、その年分のこれらの所得の金額の計算上、必要経費に算入する。

⑸ **災害関連支出**（法37）

居住者が支出した上記資産に係る災害関連支出の金額は、その支出年分の上記所得の金額の計算上、必要経費に算入する。

⑹　**損益通算**（法69）

①　**災害損失額**（災害関連支出の金額を含む。）を必要経費に算入したことにより、不動産所得の金額、事業所得の金額又は山林所得の金額の計算上損失の金額が生じた場合には、その損失の金額は、一定の順序により、これを他の各種所得の金額から控除する。

②　損益通算をする場合において、損失の金額のうちに変動所得の損失の金額、被災事業用資産の損失の金額又はその他の損失の金額の２以上があるときは、まず、その他の損失の金額を控除し、次に**被災事業用資産の損失の金額及び変動所得の損失の金額**を順次控除する。

⑺　**純損失の繰越控除**（法70、70の２）

①　損益通算の対象となる損失の金額のうち、損益通算をしてもなお控除しきれない部分の金額を**純損失の金額**という。

②　純損失の金額が**青色申告書を提出した年**に生じたものであるときは、申告を要件に、翌年以後３年間（一定のものは５年間）の繰越控除の適用がある。

③　純損失の金額が、**青色申告書以外の申告書を提出した年**に生じたものであるときは、その純損失の金額のうち**被災事業用資産の損失の金額**について、申告を要件に、翌年以後３年間（一定のものは５年間）の繰越控除の適用がある。

⑻　**純損失の繰戻し還付**（法140）

青色申告者は、その災害損失額を含めた純損失の金額については、一定の手続を要件として、前年分の課税所得金額に繰戻して所得税の還付の適用を受けることができる。

3　**譲渡所得の金額の計算上控除**（法62）

居住者が、災害により、生活に通常必要でない資産について生じた損失の金額（取得費相当額を基礎として計算し、保険金等により補てんされる部分の金額を除く。）は、その者のその損失発生年分又はその翌年分の譲渡所得の金額の計算上控除すべき金額とみなす。

4　雑損控除

⑴　内　容（法72）

居住者の有する資産（上記２⑴から⑶及び３に規定する資産を除く。）について災害による損失が生じた場合において、その年におけるその損失の金額（原則として直前の価額を基礎として計算し、災害関連支出の金額を含み、保険金等により補てんされる部分の金額を除く。）の合計額が足切限度額（原則として課税標準の合計額の10％相当額）を超えるときは、その超える部分の金額（雑損失の金額）を、その者のその年分の課税標準から控除する。

⑵　雑損失の繰越控除（法71、71の２）

雑損失の金額のうち損失発生年分の課税標準から控除しきれない部分の金額は、申告を要件に、翌年以後３年間（一定のものは５年間）にわたって繰越し、課税標準の計算上控除する。

5　災免法による減免（災免法２）

災害により、居住者の所有する住宅又は家財に甚大な被害を受け、災害減免法に規定する合計所得金額が1,000万円以下である居住者は、雑損控除に代えて、災害減免法により次の所得税の軽減又は免除を受けることができる。

措置法の税額控除後の税額から、合計所得金額に応じた次の金額を控除する。

⑴　500万円以下の場合 ………………… 所得税額の全部
⑵　500万円超 750万円以下の場合 …… 所得税額の50％相当額
⑶　750万円超 1,000万円以下の場合 … 所得税額の25％相当額

6　予定納税額の減額承認申請

予定納税額を納付すべき者は、その年７月１日以後に災害により住宅又は家財に甚大な被害を受け、災害減免法に規定する合計所得金額の見積額が1,000万円以下で、かつ、同法の規定を適用して計算した所得税の見積額が予定納税基準額に満たないときは、その災害のあった日から２月以内に、災害減免法による予定納税額の減額承認申請をすることができる。

7　源泉徴収税額の徴収猶予等

給与等、公的年金等、報酬、料金の支払いを受ける者で、災害により住宅又は家財に甚大な被害を受け、かつ、災害減免法に規定する合計所得金額の見積額が1,000万円以下であるものについては、災害減免法による源泉徴収の猶予又は源泉徴収税額の還付を受けることができる。

解答への道　損失が生じた場合の取扱いが問われた場合

1　事業用固定資産等など

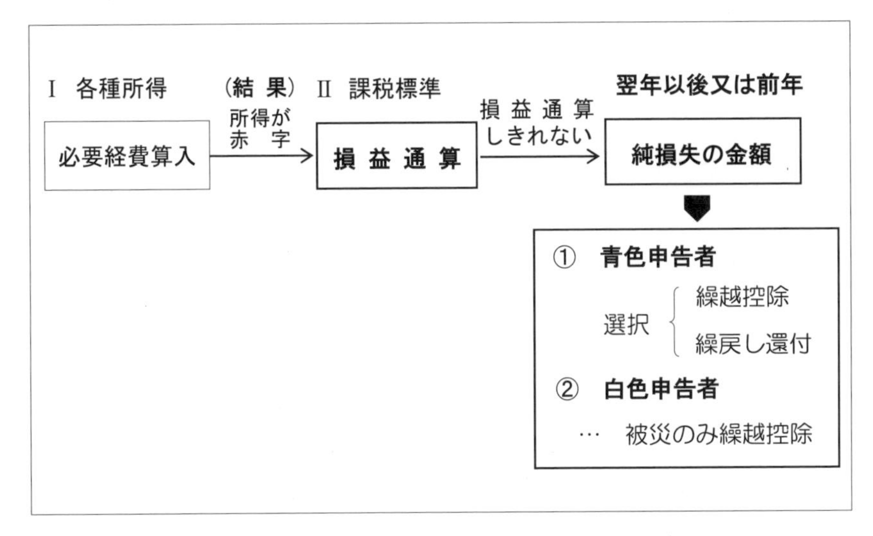

2　住宅など

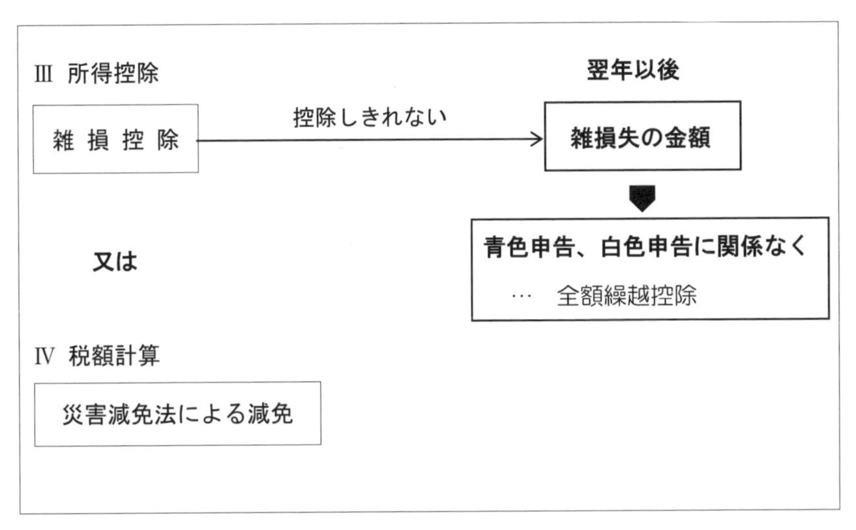

6−3 医療費控除

■趣　旨■

この規定は、多額の医療費を支出した場合における担税力の減殺を考慮して設けられている。

1　原　則（法73）　重要度◎

(1) 内　容

居住者が、自己又は自己と生計を一にする親族に係る医療費を支払った場合には、次の控除額を、その居住者のその年分の課税標準から控除する。

〔控除額〕

① 医療費の金額（保険金等により補てんされる部分の金額を除く。）の合計額
② 足切限度額（課税標準の合計額の５％相当額と10万円のいずれか低い金額）
③ ①－②＝控除額（200万円を限度）

(2) 対象となる医療費

対象となる医療費は、次の対価のうち、一般的に支出される水準を著しく超えない部分の金額とする。

① 医師又は歯科医師による診療又は治療
② 治療又は療養に必要な医薬品の購入
③ 病院等へ収容されるための人的役務の提供
④ あん摩マッサージ指圧師、はり師、きゅう師、柔道整復師による施術
⑤ 保健師等による療養上の世話など

2　医療費控除の特例（措法41の17）　重要度◎

⑴　内　容

健康の保持増進及び疾病の予防への一定の取組を行う居住者が、自己又は自己と生計を一にする親族に係る特定一般用医薬品等購入費を支払った場合には、次の控除額を、その居住者のその年分の課税標準から控除する。

なお、原則の医療費控除と選択適用とされる。

〔控除額〕

①　特定一般用医薬品等購入費の金額（保険金等により補てんされる部分の金額を除く。）の合計額

②　足切限度額（12,000円）

③　①－②＝控除額（88,000円を限度）

⑵　特定一般用医薬品等購入費

特定一般用医薬品等購入費とは、医療用から転用されたなどの一定の医薬品の購入の対価をいう。

3　控除の順序（法87）　重要度○

⑴　所得控除のうちに雑損控除がある場合には、まず雑損控除を行うものとする。

⑵　医療費控除額は、総所得金額、措置法の課税標準、山林所得金額又は退職所得金額から順次控除する。

4　手　続（法120④）　重要度○

医療費控除額の記載のある確定申告書を提出する場合には、医療費の金額等の記載のある明細書等を確定申告書に添付しなければならない。

寄附金控除

■趣　旨■

この規定は、寄附金が公益事業に対してもつ意義等を考慮して設けられている。

1　内　容（法78、措法41の18、41の18の３、41の18の４等）　重要度◎

⑴　内　容

居住者が、特定寄附金を支払った場合には、次の控除額を、その者のその年分の課税標準から控除する。

〔控除額〕

①　特定寄附金の額の合計額（課税標準の合計額の40%相当額を限度）

②　足切限度額（２千円）

③　①－②＝控除額

⑵　特定寄附金の範囲

特定寄附金とは、次に掲げる寄附金（学校の入学に関するものを除く。）をいう。

①　国又は地方公共団体に対する寄附金

②　指定寄附金（公益社団法人等に対する寄附金のうち財務大臣が指定したもの）

③　特定公益増進法人（日本学生支援機構、日本赤十字社、一定の学校法人など）に対する寄附金

④　認定ＮＰＯ法人等に対する寄附金

⑤　政党などに対する寄附金で政治資金規正法又は公職選挙法により報告されたもの

⑥　特定新規中小会社株式の払込みによる取得金額（800万円限度）など

2　控除の順序（法87）　重要度○

⑴　所得控除のうちに雑損控除がある場合には、まず雑損控除を行うものとする。

⑵　寄附金控除額は、総所得金額、措置法の課税標準、山林所得金額又は退職所得金額から順次控除する。

３　手　続（法120③）

重要度○

寄附金控除額の記載のある確定申告書を提出する場合には、控除額の計算の基礎となる金額その他一定の事項を証する書類を確定申告書に添付等しなければならない。

参　考

●　寄附金の税額控除（P.176、177参照）

公益社団法人等に対する寄附金、認定ＮＰＯ法人等に対する寄附金又は政党等に対する寄附金を支払った場合には、寄附金控除（所得控除）に代えて、次の税額控除を選択することができる。

⑴　公益社団法人等寄附金特別控除

⑵　認定ＮＰＯ法人等寄附金特別控除

⑶　政党等寄附金特別控除

○○○寄附金特別控除

⑴　内　容

⑵　控除額

次のいずれか低い金額（百円未満切捨）

①（その寄附金の額※１ － 2,000円※２）× 40％（政党等は、30％）

※１　課税標準の合計額の40％相当額を限度とする。

※２　他の特定寄附金の額から控除した金額を除く。

②　その年分の所得税額×25％

⑶　申告要件

この規定は、確定申告書に、控除額に関する記載があり、かつ、控除額の計算に関する明細書等の添付がある場合に限り適用する。

6−5 配偶者控除

■趣　旨■

この規定は、最低生活費の配慮から設けられている。

1　内　容（法83）　重要度◎

居住者が控除対象配偶者を有する場合には、その居住者のその年分の課税標準から次のそれぞれの金額を控除する。

⑴　**居住者の合計所得金額が900万円以下である場合**

…　38万円（老人控除対象配偶者は48万円）

⑵　**居住者の合計所得金額が900万円超950万円以下である場合**

…　26万円（老人控除対象配偶者は32万円）

⑶　**居住者の合計所得金額が950万円超1,000万円以下である場合**

…　13万円（老人控除対象配偶者は16万円）

（注）合計所得金額とは、**損失の繰越控除**の規定を適用しないで計算した場合における課税標準の合計額をいう。

2　控除対象配偶者等の意義（法2①三十三、三十三の二）　重要度◎

⑴　控除対象配偶者とは、同一生計配偶者のうち、合計所得金額が**1,000万円以下**である居住者の配偶者をいう。

⑵　同一生計配偶者とは、居住者の配偶者でその居住者と生計を一にするもの（青色事業専従者等を除く。）のうち、合計所得金額が**48万円以下**である者をいう。

⑶　老人控除対象配偶者とは、控除対象配偶者のうち、年齢**70歳以上**の者をいう。

3　判定の時期（法85③）

重要度◎

その者が居住者の同一生計配偶者等に該当するかどうかの判定は、**その年12月31日**（その居住者が年の中途において死亡又は出国する場合には、その死亡又は出国の時）の現況による。

但し、その判定に係る配偶者が既に死亡している場合は、その死亡の時の現況による。

4　２以上の居住者がある場合の所属（法85④）

重要度○

一の居住者の配偶者がその居住者の同一生計配偶者に該当し、かつ、他の居住者の扶養親族にも該当する場合には、その配偶者は、いずれか一にのみ該当するものとみなす。

5　配偶者と死別し、同一年に再婚した場合の特例（令220）

重要度○

年の中途において居住者の配偶者が死亡し、その年中にその居住者が再婚した場合において、その居住者の同一生計配偶者に該当するものは、その死亡した配偶者又は再婚した配偶者のうち１人に限るものとする。

6　控除の順序（法87）

重要度○

⑴　所得控除のうちに雑損控除がある場合には、まず雑損控除を行うものとする。
⑵　配偶者控除額は、総所得金額、措置法の課税標準、山林所得金額又は退職所得金額から順次控除する。

6−6 配偶者特別控除

■趣　旨■

この規定は、所得の稼得に対する配偶者の貢献を考慮し、世帯としての税負担の軽減を図るために設けられている。

１　内　容（法83の２①）　重要度◎

居住者が生計を一にする合計所得金額が48万円超133万円以下である配偶者（青色事業専従者等を除く。）を有する場合（居住者の合計所得金額が1,000万円以下である場合に限る。）には、その居住者のその年分の課税標準から次のそれぞれの金額を控除する。

⑴　**居住者の合計所得金額が900万円以下である場合**

①　**合計所得金額が95万円以下である配偶者**

……　38万円

②　**合計所得金額が95万円超130万円以下である配偶者**

……　38万円　−（合計所得金額　−　930,001円）※

※　カッコ内の金額が、５万円の整数倍の金額から３万円を控除した金額でないときは、５万円の整数倍の金額から３万円を控除した金額で、カッコ内の金額に満たないもののうち最も多い金額とする。

③　**合計所得金額が130万円超である配偶者**

……　３万円

⑵　**居住者の合計所得金額が900万円超950万円以下である場合**

……　上記⑴の金額の３分の２相当額（１万円未満切上）

⑶　**居住者の合計所得金額が950万円超1,000万円以下である場合**

……　上記⑴の金額の３分の１相当額（１万円未満切上）

（注）合計所得金額とは、損失の繰越控除の規定を適用しないで計算した場合における課税標準の合計額をいう。

２　適用除外（法83の２②）　重要度◎

この規定は、その配偶者が居住者としてこの規定の適用を受けているなどの場合には適用しない。

３　判定の時期（法85③）　重要度◎

その者が居住者の生計を一にする配偶者に該当するかどうかの判定は、その年12月31日（その居住者が年の中途において死亡又は出国する場合には、その死亡又は出国の時）の現況による。

但し、その判定に係る配偶者が既に死亡している場合は、その死亡の時の現況による。

４　配偶者と死別し、同一年に再婚した場合の特例（令220）　重要度○

年の中途において居住者の配偶者が死亡し、その年中にその居住者が再婚した場合において、その居住者の生計を一にする配偶者に該当するものは、その死亡した配偶者又は再婚した配偶者のうち１人に限るものとする。

５　控除の順序（法87）　重要度○

⑴　所得控除のうちに雑損控除がある場合には、まず雑損控除を行うものとする。

⑵　配偶者特別控除額は、総所得金額、措置法の課税標準、山林所得金額又は退職所得金額から順次控除する。

参　考

【１ ⑴ ② の控除額の省略型】

合計所得金額が95万円超 130万円以下である配偶者

…… 131万円 －（合計所得金額 － １円）

※　カッコ内の金額が、５万円の整数倍の金額でないときは、５万円の整数倍の金額で、カッコ内の金額のうち最も多い金額

《例示》　配偶者の合計所得金額　100万円

　　　　　　　　※
131万円 － 95万円 ＝ 36万円（控除額）

※　100万円 － １円 ＝ 999,999円 → 95万円
　　　　　　　　　５万円の整数倍で、最大値

6−7 扶養控除

■趣　旨■

この規定は、最低生活費の配慮から設けられている。

1　内　容（法84、措法41の16）　重要度◎

居住者が控除対象扶養親族を有する場合には、その居住者のその年分の課税標準から、控除対象扶養親族１人につき38万円（特定扶養親族は63万円、同居老親等は58万円、その他の老人扶養親族は48万円とする。）を控除する。

2　扶養親族等の意義（法２①三十四〜三十四の四、措法41の16）　重要度◎

(1)　扶養親族とは、居住者の親族（その居住者の配偶者を除く。）並びに児童福祉法の規定により里親に委託された児童及び老人福祉法の規定により養護受託者に委託された老人でその居住者と生計を一にするもの（青色事業専従者等を除く。）のうち、合計所得金額が48万円以下である者をいう。

（注）合計所得金額とは、損失の繰越控除の規定を適用しないで計算した場合における課税標準の合計額をいう。

(2)　控除対象扶養親族とは、扶養親族のうち、次の者をいう。

①　居住者 … 年齢16歳以上の者をいう。

②　非居住者

イ　年齢16歳以上30歳未満の者

ロ　年齢70歳以上の者

ハ　年齢30歳以上70歳未満の者で、次のいずれかに該当するもの

a　留学により国内に住所及び居所を有しなくなった者

b　障害者

c　その居住者からその年において生活費又は教育費に充てるための支払を38万円以上受けている者

(3)　特定扶養親族とは、控除対象扶養親族のうち、年齢19歳以上23歳未満の者をいう。

⑷　老人扶養親族とは、控除対象扶養親族のうち、年齢70歳以上の者をいう。

⑸　同居老親等とは、老人扶養親族のうち、居住者又はその居住者の配偶者の直系尊属で、かつ、その居住者又はその配偶者のいずれかとの同居を常況としている者をいう。

３　判定の時期（法85③）　重要度◎

その者が居住者の扶養親族等に該当するかどうかの判定は、その年12月31日（その居住者が年の中途において死亡又は出国する場合には、その死亡又は出国の時）の現況による。

但し、その判定に係る親族等が既に死亡している場合は、その死亡の時の現況による。

４　２以上の居住者がある場合の所属（法85⑤）　重要度○

２以上の居住者の扶養親族に該当する者がある場合には、その者は、これらの居住者のうちいずれか一の居住者の扶養親族にのみ該当するものとみなす。

５　控除の順序（法87）　重要度○

⑴　所得控除のうちに雑損控除がある場合には、まず雑損控除を行うものとする。

⑵　扶養控除額は、総所得金額、措置法の課税標準、山林所得金額又は退職所得金額から順次控除する。

6－7－1 基礎控除

■趣　旨■

この規定は、最低生活費の配慮から設けられている。

1　内　容（法86）

合計所得金額が2,500万円以下である居住者は、次の控除額を、その者のその年分の課税標準から控除する。

〔控除額〕

⑴　合計所得金額が2,400万円以下である者　…　48万円

⑵　合計所得金額が2,400万円超、2,450万円以下である者　…　32万円

⑶　合計所得金額が2,450万円超、2,500万円以下である者　…　16万円

（注）合計所得金額とは、損失の繰越控除の規定を適用しないで計算した場合における課税標準の合計額をいう。

2　控除の順序（法87）

⑴　所得控除のうちに雑損控除がある場合には、まず雑損控除を行うものとする。

⑵　基礎控除額は、総所得金額、措置法の課税標準、山林所得金額又は退職所得金額から順次控除する。

●　国外居住親族の扶養控除等の適用にあたっての提出書類

給与等又は公的年金等の源泉徴収及び年末調整において、非居住者である親族（国外居住親族）に係る扶養控除、配偶者控除、障害者控除又は配偶者特別控除（扶養控除等）の適用を受ける居住者は、国外居住親族に係る親族関係書類及び送金関係書類を、源泉徴収義務者に提出等しなければならない。

確定申告において、国外居住親族に係る扶養控除等の適用を受ける場合にも、親族関係書類及び送金等関係書類（源泉徴収又は年末調整の際に提出等している書類は除く。）を、確定申告書に添付等しなければならない。

⑴　親族関係書類

親族関係書類は、次の書類（外国語の場合は、翻訳文を含む。）をいう。

①　国外居住親族が、日本国籍を有する者である場合

…　戸籍の附票の写し及び旅券の写し

（留学中の者は、留学ビザ等書類の提出等も必要）

②　国外居住親族が、日本国籍を有しない者である場合

…　外国政府等が発行した出生証明書等

⑵　送金関係書類

送金関係書類は、金融機関の送金依頼書等で、その国外居住親族の生活費等に充てるための支払を、各人に行ったことを明らかにするもの（外国語の場合は、翻訳文を含む。）をいう。

なお、一定の者は、38万円送金書類を提出等しなければならない。

(MEMO)

テーマ

7

税額計算等

平均課税

■趣　旨■

この規定は、経常所得の中にも変動性の強い所得や臨時的に発生する所得があり、これらについて税負担の平準化及び緩和を図るために設けられている。

1　内　容（法90①～③）　重要度◎

⑴　適用要件

居住者のその年分の変動所得の金額及び臨時所得の金額の合計額（その年分の変動所得の金額が前年分及び前々年分の変動所得の金額の合計額の２分の１以下である場合には、その年分の臨時所得の金額）がその年分の総所得金額の20％以上である場合には、その年分の課税総所得金額に対する所得税額は、平均課税の方法によることができる。

⑵　平均課税の方法

課税総所得金額に係る所得税額は、次に掲げる金額の合計額とする。

①　課税総所得金額から平均課税対象金額の５分の４相当額を控除した金額（課税総所得金額が平均課税対象金額以下である場合は、課税総所得金額の５分の１相当額。以下「調整所得金額」という。）に超過累進税率を適用して計算した税額

②　課税総所得金額から調整所得金額を控除した金額に①の税額の調整所得金額に対する割合（小数点３位以下切捨）を乗じて計算した金額

（注）平均課税対象金額とは、その年分の変動所得の金額のうち前年分及び前々年分の変動所得の金額の合計額の２分の１相当額を超える部分の金額と臨時所得の金額との合計額をいう。

2　変動所得の意義（法2①二十三）　重要度◎

変動所得とは、年々の変動の著しい所得のうち次のものをいう。

⑴　漁獲又はのりの採取から生ずる所得

⑵　はまち、まだい、ひらめ、かき、うなぎ、ほたて貝又は真珠（真珠貝を含む。）の養殖から生ずる所得

⑶　原稿又は作曲の報酬に係る所得

⑷　著作権の使用料に係る所得

3　臨時所得の意義（法2①二十四）　重要度◎

臨時所得とは、臨時に発生する所得のうち次のものその他これらに類する所得をいう。

⑴　３年以上の期間一定の者に専属して役務の提供をすることを約することにより一時に支払いを受ける契約金で、その金額がその契約による報酬の年額の２倍以上であるものに係る所得

⑵　３年以上の期間他人に不動産等、鉱業権、工業所有権等を使用させることを約することにより一時に支払いを受ける権利金、頭金その他の対価で、その金額がこれらの資産の使用料の年額の２倍以上であるものに係る所得（譲渡所得に該当するものを除く。）

⑶　業務の全部又は一部を休止、転換又は廃止することとなった者等が、その業務に係る３年以上の期間の不動産所得、事業所得又は雑所得の補償として支払いを受ける補償金に係る所得

4　申告要件（法90④）　重要度◎

この規定は、確定申告書等にこの規定の適用を受ける旨の記載があり、かつ、その計算に関する明細書の添付がある場合に限り適用する。

7－1－1　変動所得

1　**意　義**（法2①二十三）

変動所得とは、年々の変動の著しい所得のうち次のものをいう。

⑴　漁獲又はのりの採取から生ずる所得

⑵　はまち、まだい、ひらめ、かき、うなぎ、ほたて貝又は真珠（真珠貝を含む。）の養殖から生ずる所得

⑶　原稿又は作曲の報酬に係る所得

⑷　著作権の使用料に係る所得

2　**平均課税**（法90）

⑴　**趣　旨**

経常所得の中にも変動性の強い所得や臨時的に発生する所得があり、これらについて税負担の平準化及び緩和を図るために設けられている。

⑵　**内　容**

①　**適用要件**

居住者のその年分の変動所得の金額及び臨時所得の金額の合計額（その年分の変動所得の金額が前年分及び前々年分の変動所得の金額の合計額の2分の1以下である場合には、その年分の臨時所得の金額）がその年分の総所得金額の20%以上である場合には、その年分の課税総所得金額に対する所得税額は、平均課税の方法によることができる。

②　**平均課税の方法**

課税総所得金額に係る所得税額は、次に掲げる金額の合計額とする。

イ　課税総所得金額から平均課税対象金額の5分の4相当額を控除した金額（課税総所得金額が平均課税対象金額以下である場合は、課税総所得金額の5分の1相当額。以下「調整所得金額」という。）に超過累進税率を適用して計算した税額

ロ　課税総所得金額から調整所得金額を控除した金額にイの税額の調整所得金額に対する割合（小数点3位以下切捨）を乗じて計算した金額

※　臨時所得とは、臨時に発生する所得のうち一定のものをいう。

※　平均課税対象金額とは、その年分の変動所得の金額のうち前年分及び前々年分の変動所得の金額の合計額の2分の1相当額を超える部分の金額と臨時所得の金額との合計額をいう。

⑶　申告要件

この規定は、確定申告書等にこの規定の適用を受ける旨の記載があり、かつ、その計算に関する明細書の添付がある場合に限り適用する。

３　損益通算（令199）

損益通算を行う場合において、損益通算の対象となる損失の金額のうちに変動所得の損失の金額、被災事業用資産の損失の金額又はその他の損失の金額の２以上があるときは、まず、その他の損失の金額を控除し、次に被災事業用資産の損失の金額及び変動所得の損失の金額を順次控除する。

４　純損失の繰越控除（法70等）

確定申告書を提出する居住者のその年の前年以前３年内（一定の場合は５年内）の各年において生じた純損失の金額のうちに変動所得の損失の金額が含まれている場合には、その損失が生じた年分に青色申告書以外の確定申告書を提出している場合であっても、その損失の金額は、一定の要件の下で、その年分の課税標準の計算上、控除することができる。

※　臨時所得は、『平均課税』以外には特別な規定はない。

● 特定の基準所得金額の課税の特例（措法41の19）

■趣　旨■

株式等や土地建物の譲渡所得の分離課税の税率は一律15％であり、これらが多い高額所得者は、総合課税される所得と比較して所得税の負担率が低くなっている。

そこで、課税の公平性の観点から、これらの所得に対する負担の適正化を図るために設けられた。

1　内　容

個人でその者のその年分の基準所得金額が３億3,000万円を超えるものは、その超える部分の金額の22.5%相当額からその年分の基準所得税額を控除した金額に相当する所得税を課する。

2　基準所得金額の意義

基準所得金額とは、その年分の所得税について確定申告不要の配当所得等の特例及び確定申告不要の上場株式等の譲渡所得等の特例を適用しないで計算した課税標準の合計額（措置法の特別控除後の金額）をいう。

3　基準所得税額の意義

基準所得税額は、その年分の基準所得金額について、この特例の適用がないものとして計算した所得税の額（源泉分離課税のもの及び附帯税の額を除く。）をいう。

【補　足】

⑴　対象者

その年分の基準所得金額が　３億3,000万円を超える者

⑵　税額の計算

（注１）	（注２）	（注３）
（基準所得金額　－　3.3億円）	× 22.5%	－　基準所得税額　＝　所得税額

（注１）

申告不要としたものは、申告分離課税等したものとする。

源泉分離課税のもの、ＮＩＳＡなど非課税、特定株式等の特例等は、制限はない。

（注２）22.5%

総合課税の最高税率（45%）の２分の１したものである。

これは、総合長期譲渡所得の金額等は、その２分の１を総所得金額とすることを勘案したものである。

（注３）

申告不要とした所得に係るものを含む。

（注）この特例による所得税は、復興特別所得税の対象となる。

【考え方】上場株式等に係る譲渡所得等の金額　20億円

⑴　原則の所得税額

20億円×15%＝３億円

⑵　特例による所得税額

（20億円－3.3億円）×　22.5%　－３億円＝7,575万円

３億7,575万円

配当控除

■趣　旨■

この規定は、株主集合体説によると法人税は所得税の前払いと考えられるため、法人税と所得税の二重課税を調整するために設けられている。

１　内　容（法92①、措法８の４、８の５、９）　重要度◎

居住者が次に掲げる配当所得で総合課税されるもの（外国法人から受けるものを除く。）を有する場合には、その者のその年分の所得税額から、次のそれぞれの金額を控除する。

⑴　**剰余金の配当、利益の配当、剰余金の分配、金銭の分配及び特定株式投資信託の収益の分配に係る配当所得**

……その配当所得の金額の10％（課税総所得金額等から⑵及び⑶の配当所得の金額を控除した金額が1,000万円を超えるときは、その超える部分は５％）相当額

⑵　外貨建等証券投資信託以外の証券投資信託の収益の分配に係る配当所得

……その配当所得の金額の５％（課税総所得金額等から⑶の配当所得の金額を控除した金額が1,000万円を超えるときは、その超える部分は2.5％）相当額

⑶　外貨建等証券投資信託（特定外貨建等証券投資信託を除く。）の収益の分配に係る配当所得

……その配当所得の金額の2.5％（課税総所得金額等が1,000万円を超えるときは、その超える部分は1.25％）相当額

２　適用除外（措法９）　重要度○

この規定は、投資法人からの配当等その他一定の配当所得については適用しない。

３　控除の順序等（法92②等）　重要度○

⑴　税額控除は、配当控除、措置法の税額控除、外国税額控除の順に控除する。

⑵　控除額がその年分の所得税額を超えるときは、その所得税額相当額とする。

4　用語の意義（措法9①四等）　重要度○

⑴　課税総所得金額等とは、課税山林所得金額及び課税退職所得金額以外の課税所得金額の合計額をいう。

⑵　外貨建等証券投資信託とは、国内株式等運用割合が50%未満のものをいう。

⑶　特定外貨建等証券投資信託とは、国内株式等運用割合が25%未満のものをいう。

プラスα

● 証券投資信託の『国内株式等運用割合』と『配当控除率』

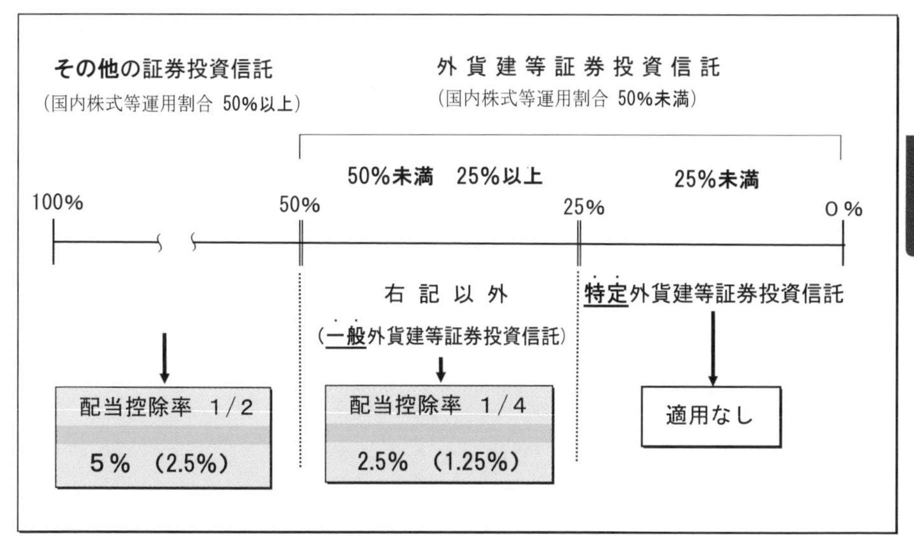

住宅借入金等特別控除

（注）令和７年に取得等し居住した場合（特例対象個人の特例は令和７年も継続するものとし、小規模居住用家屋の特例を除く）

■趣　旨■

この規定は、持家政策の促進と住宅投資を通じての内需拡大を図るために設けられている。

１　内　容（措法41①～④、⑩～⑫、㉒）　重要度◎

個人が、国内において、住宅の取得等をして、その取得等の日から６月以内にその者の居住の用に供した場合において、住宅借入金等の金額を有するときは、その居住開始年以後10年間（認定住宅等に係る新築等又は買取再販認定住宅等の取得は13年間）の各年のうち、その年分の合計所得金額が 2,000万円以下である年については、その年分の所得税額から、次の控除額を控除する。

〔控除額〕（百円未満切捨）

その年12月31日における住宅借入金等の合計額　× 0.7%

※　住宅借入金等の限度額

①　認定住宅等に係る新築等又は買取再販認定住宅等の取得

…　認定住宅（認定長期優良住宅及び認定低炭素住宅）は 4,500万円、ＺＥＨ水準省エネ住宅は 3,500万円、省エネ基準適合住宅は 3,000万円（特例対象個人は、それぞれ 5,000万円、4,500万円、4,000万円）

②　①以外の認定住宅等に係る既存住宅の取得

…　3,000万円

③　その他

…　2,000万円

(1)　住宅の取得等

①　居住用家屋の新築及び居住用家屋で建築後使用されたことのないものの取得（特定居住用家屋の取得等を除く。）

なお、配偶者等特別の関係がある者からの取得等を除く（以下同じ。）

②　買取再販住宅の取得（宅地建物取引業者が特定増改築等をした既存住宅のその宅地建物取引業者からの取得）

③　既存住宅の取得（②を除く。）

④　補助金控除後の工事費用の額が 100万円を超える居住用家屋の増改築等

⑵　住宅借入金等

住宅借入金等とは、住宅の取得等に係る金融機関からの借入金等（住宅の取得等とともにするその敷地の用に供される土地等の取得に係るものを含む。）で、償還期間が10年以上の割賦償還の方法により返済するものをいう。

（注１）合計所得金額とは、損失の繰越控除の規定を適用しないで計算した場合における課税標準の合計額をいう。

（注２）特例対象個人とは、配偶者を有する年齢40歳未満の者、年齢40歳未満の配偶者を有する年齢40歳以上の者又は年齢19歳未満の扶養親族を有する者をいう。

2　適用除外（措法41㉔㉕）　重要度◎

この規定は、居住開始年の前々年から翌年以後３年以内のいずれかの年において、一定の居住用財産の課税の特例等の適用を受ける場合には、適用しない。

3　再入居した場合（措法41㉘～㉝）　重要度○

転任等やむを得ない事由により上記１の家屋に居住しなくなった後、再び居住の用に供した場合は、一定の手続を要件に、再び居住を開始した年以後の各年は、この規定を適用することができる。

4　災害で居住の用にできなくなった場合（措法41㉞）　重要度○

災害により上記１の家屋に居住できなくなった場合は、その居住できなくなった年以後の各年を適用年とみなし、この規定を適用することができる。

5　申告要件（措法41㊱㊲等）　重要度◎

この規定は、確定申告書に控除額に関する記載があり、かつ、その計算に関する明細書等の添付がある場合に限り適用する。

但し、宥恕規定がある。

6　年末調整による控除（措法41の２の２）　重要度◎

年末調整が行われる給与所得者が、居住開始年の翌年以後９年内（又は12年内）の各年において、「給与所得者の住宅借入金等特別控除申告書」に、税務署長から交付された証明書を添付して、給与等の支払者を経由して納税地の所轄税務署長に提出したときは、年末調整の際にこの規定を適用する。

7　控除の順序等（措法41㊳）　重要度○

⑴　税額控除は、配当控除、措置法の税額控除、外国税額控除の順に控除する。

⑵　控除額がその年分の所得税額（配当控除後の金額）を超えるときは、その所得税額相当額とする。

参　考

●　住宅借入金等特別控除の整理

⑴　認定住宅等の特例

	新築、新築住宅・買取再販認定住宅等の取得　［13年間］		その他の既存住宅の取得［10年間］
	特例対象個人	左記以外	
認定住宅 ・認定長期優良住宅 ・認定低炭素住宅	5,000万円	4,500万円	3,000万円
ＺＥＨ水準省エネ住宅	4,500万円	3,500万円	
省エネ基準適合住宅	4,000万円	3,000万円	

※　特例対象個人

本人か配偶者が40歳未満又は19歳未満の扶養親族を有する個人

⑵　その他

新築(※)、新築住宅(※)・買取再販住宅・既存住宅の取得、増改築［10年間］
2,000万円

（※）令和5年までに建築確認されたもの等に限る（既存住宅の取得・増改築は、制限はなし）。

７－３－１　認定住宅等新築等特別控除（措法41の19の４）

（注）令和７年に居住開始した場合

１　内　容

個人が、国内において、認定住宅等の新築又は建築後使用されたことのないものの取得をして、その新築等の日から６月以内にその者の居住の用に供した場合において、その年分の合計所得金額が2,000万円以下であるときは、その年分の所得税額から、次の控除額を控除する。

［控除額］（百円未満切捨）

認定住宅等の構造等に係る標準的な費用の額（650万円限度）× 10%

なお、その年分の所得税額から控除しきれない控除額は、その年の翌年分の所得税額から控除する。

※　住宅借入金等特別控除と選択適用

※　認定住宅等とは、認定長期優良住宅及び認定低炭素住宅並びにＺＥＨ水準省エネ住宅をいう。

（注）合計所得金額とは、損失の繰越控除の規定を適用しないで計算した場合における課税標準の合計額をいう。

２　適用除外

この規定は、居住開始年の前々年から翌年以後３年以内のいずれかの年において、居住用財産の特別控除の特例（被相続人居住用家屋等の特例を除く。）又は居住用財産の軽減税率の特例の適用を受ける場合には、適用しない。

３　申告要件

この規定は、確定申告書に控除額に関する記載があり、かつ、その計算に関する明細書等の添付がある場合に限り適用する。

但し、宥恕規定がある。

４　控除の順序等

⑴　税額控除は、配当控除、措置法の税額控除、外国税額控除の順に控除する。

⑵　控除額がその年分の所得税額（配当控除後の金額）を超えるときは、その所得税額相当額とする。

7－3－2　一定の増改築を行った場合の税額控除

（注）令和７年に居住開始した場合（子育て対応改修の特例は令和７年も継続するものとする）

1　住宅特定改修特別控除（措法41の19の３）

一定の個人が、住宅に補助金控除後の工事費用の額が50万円超の一定のバリアフリー改修、省エネ改修、多世帯同居改修又は子育て対応改修をして、その改修の日から６月以内にその者の居住の用に供した場合において、その年分の合計所得金額が2,000万円以下であるときは、その年分の所得税額から、次の控除額を控除する。

〔控除額〕

(1)の控除額と(2)の控除額の合計額

(1)　原則控除額（百円未満切捨）

その増改築等に係る標準的な費用の額 × 10%

※　標準的な費用の額の限度額

①　バリアフリー改修　　200万円

②　省エネ改修　250万円（太陽光発電設備の設置を含む場合 350万円）

③　多世帯同居改修　　250万円

④　子育て対応改修　　250万円

(2)　上乗せ控除額（百円未満切捨）

限度額を超える標準的な費用の額などのうち一定の金額 × ５％

※　住宅借入金等特別控除と選択適用

2　住宅耐震改修特別控除（措法41の19の２）

個人が、一定の住宅の耐震改修をした場合には、その年分の所得税額から、次の控除額を控除する。

〔控除額〕（百円未満切捨）

その耐震改修に係る標準的な費用の額（250万円限度）× 10%

参　考

●　住宅関連税制の概要

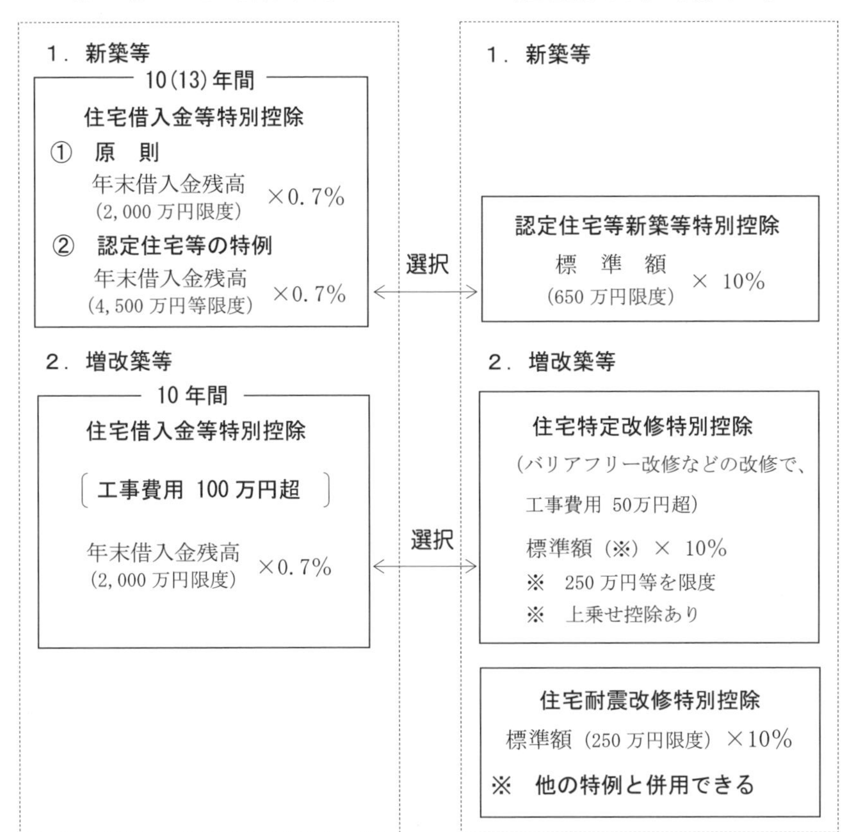

【10年以上の借入金等で特定改修をした場合】

次の選択適用

1　住宅借入金等特別控除（100万円超の工事、10年以上の借入金等）

…　10年間　年末借入金残高（2,000万円限度）×　0.7%

2　住宅特定改修特別控除（50万円超の工事）

…　１年間　標準的な費用の額（250万円等限度）×　10%（上乗せ控除あり）

7-3-3 政党等に寄附をした場合

1 寄附金控除（法78）

⑴ 内 容

政治資金規正法に規定する政治活動に関する寄附金で、政党、政治資金団体等に対するもので同法又は公職選挙法により報告されたものは、特定寄附金とされ、寄附金控除の対象となる。

⑵ 控除額

① 特定寄附金の額の合計額（課税標準の合計額の40%相当額を限度）

② 足切限度額（２千円）

③ ①－②＝控除額

⑶ 手 続

寄附金控除額の記載のある確定申告書を提出する場合には、控除額の計算の基礎となる金額その他一定の事項を証する書類を確定申告書に添付等しなければならない。

2 政党等寄附金特別控除（措法41の18）

⑴ 内 容

政党又は政治資金団体に対する寄附金は、寄附金控除に代えて、政党等寄附金特別控除を受けることができる。

⑵ 控除額

次のいずれか少ない金額（百円未満切捨）

① （その寄附金の額※1 － 2,000円※2）× 30%

※1 課税標準の合計額の40%相当額を限度

※2 他の特定寄附金の額から控除した金額を除く。

② その年分の所得税額 × 25%

⑶ 申告要件

この規定は、確定申告書に、控除額に関する記載があり、かつ、控除額の計算に関する明細書等の添付がある場合に限り適用する。

参　考

● 一定の寄附をした場合の税額控除（寄附金控除と選択適用）

１　公益社団法人等寄附金特別控除（措法41の18の３）

公益社団法人等に対する寄附金を支出した場合には、その年分の所得税額から、次の控除額を控除する。

〔控除額〕次のいずれか低い金額（百円未満切捨）

①（その寄附金の額※1 － 2,000円※2）× 40%

②　その年分の所得税額×25%

２　認定ＮＰＯ法人等寄附金特別控除（措法41の18の２）

認定ＮＰＯ法人等に対する寄附金を支出した場合には、その年分の所得税額から、次の控除額を控除する。

〔控除額〕次のいずれか低い金額（百円未満切捨）

①（その寄附金の額※1 － 2,000円※2）× 40%

②　その年分の所得税額×25% － 上記１の控除額

３　政党等寄附金特別控除（措法41の18）

政党等に対する寄附金を支出した場合には、その年分の所得税額から、次の控除額を控除する。

〔控除額〕次のいずれか低い金額（百円未満切捨）

①　（その寄附金の額※1 － 2,000円※2）× 30%

②　その年分の所得税額×25%

※１　特定寄附金の額の合計額で「課税標準の合計額の40%相当額－寄附金控除の対象金額」を限度とする。

※２　他の特定寄附金の額から控除した金額を除く。

テーマ
７

7−4 外国税額控除

（注）非居住者に係るものを除く

■趣　旨■

この規定は、国際間の二重課税を調整するために設けられている。

1　内　容（法95①）　重要度◎

居住者が各年において外国所得税を納付することとなる場合には、次の金額を限度として、その外国所得税額をその年分の所得税額から控除する。

《控除限度額》

$$\text{その年分の所得税額} \times \frac{\text{その年分の国外所得総額}}{\text{その年分の合計所得金額}} \left(\frac{100}{100} \text{限度} \right)$$

2　所得計算上の取扱い（法46）　重要度◎

居住者がこの規定の適用を受ける場合には、その外国所得税額は、その者の不動産所得の金額、事業所得の金額、山林所得の金額若しくは雑所得の金額又は一時所得の金額の計算上、必要経費又は支出した金額に算入しない。

3　控除の順序（法95⑭等）　重要度○

税額控除は、配当控除、措置法の税額控除、外国税額控除の順に控除する。

4　繰越控除（法95②③）　重要度○

⑴　控除限度額の繰越控除

外国所得税額が控除限度額（復興特別所得税控除限度額を含む。）と地方税控除限度額との合計額を超える場合において、前３年以内に生じた繰越控除限度額があるときは、その金額を限度として、その超える部分の金額を、その年分の所得税額から控除する。

⑵　外国所得税額の繰越控除

外国所得税額が控除限度額に満たない場合において、前３年以内に生じた繰越外国所得税額があるときは、その満たない部分の金額を限度として、その繰越外国所得税額を、その年分の所得税額から控除する。

5　還　付（法138）

重要度○

その年分の所得税額から控除しきれない外国税額控除額は、還付を受けることができる。

6　外国所得税額が減額された場合（法95⑨）

重要度○

外国税額控除の適用を受けた年の翌年以後7年内の各年において、外国所得税額が減額された場合には、その減額された金額を一定の方法により考慮して、上記1及び4の規定を適用する。

7　申告要件（法95⑩⑪）

重要度◎

外国税額控除は、確定申告書等に控除額等の記載がある明細書の添付がある場合に限り適用する。

8　復興特別所得税（復財法14）

重要度○

外国所得税額が所得税の控除限度額を超えるときは、次の金額を限度として、その超える外国所得税額をその年分の復興特別所得税額から控除する。

《控除限度額》

$$\text{その年分の復興特別所得税額} \times \frac{\text{その年分の国外所得総額}}{\text{その年分の合計所得金額}}\left(\frac{100}{100}\text{限度}\right)$$

参　考

● 所得税と復興特別所得税

所　得　税	復興特別所得税
	基準所得税額を課税標準として課税する税金
算出税額	
配当控除、措置法の税額控除	
差引所得税額（**基準所得税額**）	算出税額 ………… **基準所得税額**×2.1%
外国税額控除額	外国税額控除額
源泉徴収税額	源泉徴収税額
申告納税額	申告納税額
予定納税額	予定納税額
第３期納付税額	第３期納付税額

※　申告書では、外国税額控除以降、所得税と復興特別所得税をまとめて計算

算出税額	
配当控除額	
措置法の税額控除額	
差引所得税額	（基準所得税額）　…　a
復興特別所得税額	基準所得税額　×　2.1%　…　b
合計税額	a　＋　b
外国税額控除額	外国所得税額　＞　所得税の控除限度額　の場合 →　復興特別所得税でも適用
源泉徴収税額	（復興特別所得税を含む。）
申告納税額	（　　〃　　）
予定納税額	（　　〃　　）
第３期納付税額	（　　〃　　）

テーマ

8

予納制度

8−1 利子所得及び配当所得の源泉徴収

（注）源泉徴収選択口座内配当等の特例及び外国の利子配当等の支払の取扱者を除く

1　源泉徴収制度　　重要度◎

⑴　源泉徴収義務（法181）

①　居住者に対し国内において利子等又は配当等の支払をする者は、その支払の際、その利子等又は配当等について所得税を徴収し、その徴収の日の属する月の翌月10日までに、これを国に納付しなければならない。

②　剰余金の配当等については、支払の確定した日から１年を経過した日までにその支払がされない場合には、その１年を経過した日においてその支払があったものとみなして、①の規定を適用する。

⑵　源泉徴収税額（法182、措法８の２、９の３）

①　**利子等及び私募公社債等運用投資信託の収益の分配など**

利子等又は配当等の額 × 15%

②　**上記①以外の配当等**

イ　**上場株式等の配当等**

配当等の額 × 15%

ロ　**その他の配当等**

配当等の額 × 20%

（注）上場株式等の配当等とは、次のものをいう。

a　上場株式等の配当等（持株割合が３％以上のものを除く。）

b　公募投資信託の収益の分配

c　特定投資法人の投資口の配当等など

⑶　納税地（法17等）

源泉徴収に係る納税地は、その支払をする者の支払事務を取扱う事務所等のその支払の日における所在地とする。

但し、公社債の利子、内国法人が支払う剰余金の配当等は、その支払をする者の本店又は主たる事務所の所在地とする。

なお、特定公社債の利子等及び上場株式等の配当等は、国内における支払の取扱者を支払をする者とみなす。

2　復興特別所得税（復財法28）

重要度○

所得税の源泉徴収義務者は、その**支払の際**、**所得税額の2.1%**の復興特別所得税額を徴収し、**法定納期限**までに、これを国に納付しなければならない。

8−2 給与所得の源泉徴収

1　源泉徴収義務（法183）　重要度◎

⑴　居住者に対し国内において給与等の支払をする者は、その支払の際、その給与等について所得税を徴収し、その徴収の日の属する月の翌月10日までに、これを国に納付しなければならない。

⑵　法人の役員に対する賞与については、支払の確定した日から１年を経過した日までにその支払がされない場合には、その１年を経過した日においてその支払があったものとみなして、⑴の規定を適用する。

2　源泉徴収を要しない場合（法184）　重要度◎

常時２人以下の家事使用人のみに対し給与等の支払をする者は、上記１⑴にかかわらず源泉徴収を要しない。

3　源泉徴収税額　重要度◎

⑴　賞与以外の給与等（法185）

月給・日給等の別、「給与所得者の扶養控除等申告書」の提出の有無、その申告書に記載されている人的事情等を考慮して、別表第２、第３の税額表により求めた税額

⑵　賞　与（法186）

前月の給与等の支払の有無、「給与所得者の扶養控除等申告書」の提出の有無、その申告書に記載されている人的事情等を考慮して、別表第４の税率表により求めた率を賞与の金額に乗じて計算した税額

4　給与所得者の扶養控除等申告書（法194）　重要度◎

国内において給与等の支払を受ける居住者は、毎年最初に給与等の支払を受ける日の前日までに扶養控除等に関する事項等を記載した「給与所得者の扶養控除等申告書」を、その支払者を経由して納税地の所轄税務署長に提出しなければならない。

5　納税地（法17）　重要度◎

源泉徴収に係る納税地は、その支払をする者の支払事務を取扱う事務所等のその支払の日における所在地とする。

６　納期の特例（法216）

重要度○

給与等の支払を受ける者が常時10人未満である源泉徴収義務者は、納税地の所轄税務署長の承認を受けた場合には、１月から６月までの期間の徴収税額については７月10日まで、７月から12月までの期間の徴収税額については翌年１月20日までに納付することができる。

７　災害減免法による還付等（災免法３②）

重要度○

給与等の支払を受ける者で、災害により住宅又は家財に甚大な被害を受け、かつ、災害減免法に規定する合計所得金額の見積額が1,000万円以下であるものについては、災害減免法による給与等に係る源泉徴収の猶予又は還付の適用を受けることができる。

８　年末調整による精算（法190）

重要度○

「給与所得者の扶養控除等申告書」を提出した居住者で、その年中に支払うべきことが確定した給与等の金額が2,000万円以下であるものに対し、その年最後に給与等の支払をする者は、その年中にその居住者に支払うべきことが確定した給与等に係る源泉徴収税額の合計額が、その年最後に給与等の支払をする時の現況により計算した年税額に比し過不足があるときは、その過不足額は、その年最後に給与等の支払をする際に、年末調整により精算する。

９　確定申告との関係（法120、121）

重要度○

居住者は、その年分の所得税額の合計額が配当控除額等を超えるときは確定申告義務があるが、その年中に支払を受けるべき給与等の金額が2,000万円以下で一定のときは、その年分の課税退職所得金額以外の課税所得金額に係る所得税については、確定申告を要しない。

10　復興特別所得税（復財法28、33）

重要度○

所得税の源泉徴収義務者は、その支払の際、所得税額の2.1％の復興特別所得税額を徴収し、法定納期限までに、これを国に納付しなければならない。

なお、災害減免法により還付等される税額及び年末調整される税額には、復興特別所得税額が含まれる。

8−3 年末調整

1　内　容（法190）　重要度◎

給与等の支払者が、「給与所得者の扶養控除等申告書」を提出した居住者でその年中に支払うべきことが確定した給与等の金額が2,000万円以下であるものに対し、その年最後に給与等の支払をする場合において、⑴の源泉徴収税額が⑵の年税額に比し過不足があるときは、その超過額は、その年最後に給与等の支払をする際徴収すべき所得税に充当し、その不足額は、その年最後に給与等の支払をする際徴収し、その徴収の日の属する月の翌月10日までに、これを国に納付しなければならない。

なお、その居住者が、その後その年12月31日までに、他の給与等の支払者に、その申告書を提出すると見込まれる場合を除く。

⑴　源泉徴収税額

その年中にその者に支払うべきことが確定した給与等（その者がその年に他の給与等の支払者にその申告書を提出している場合には、他の給与等の支払者が支払うべきことが確定した給与等を含む。）につき、源泉徴収された又はされるべき所得税額の合計額

⑵　年税額

その年最後に給与等の支払をする時の現況による別表第5により求めた給与所得控除後の給与等の金額（所得金額調整控除の適用がある場合には、その適用後の金額）から雑損控除額、医療費控除額及び寄附金控除額以外の所得控除額の合計額を控除した金額（千円未満切捨）を課税総所得金額とみなして超過累進税率を適用して計算した税額（年末調整に係る住宅借入金等特別控除の適用があるときは、その適用後。）

2　過納額の還付（法191）　重要度◎

上記1で充当しきれない超過額（過納額）があるときは、給与等の支払者は、その過納額を還付する。

但し、給与等の支払者が給与等の支払者でなくなったことなどにより還付することができなくなったときは、納税地の所轄税務署長が還付する。

３　不足額の徴収（法192）

重要度◎

上記１で徴収しきれない不足額があるときは、給与等の支払者は、その翌年において給与等の支払をする際順次これを徴収する。

但し、不足額が多額であるため税引手取額が著しく減少すると認められる場合において、納税地の所轄税務署長の承認を受けたときは、その不足額の徴収の繰延べが認められる。

４　年末調整のための申告書
（法194、195の２、196、措法41の２の２、41の３の11）

重要度◎

年末調整の際に上記１⑵の控除額（給与等から控除される社会保険料控除額及び小規模企業共済等掛金控除額を除く。）の控除を受ける場合には、次に掲げる申告書をそれぞれに掲げる日までに、給与等の支払者を経由して納税地の所轄税務署長に提出しなければならない。

⑴　給与所得者の扶養控除等申告書
…　毎年最初に給与等の支払を受ける日の前日

⑵　給与所得者の基礎控除申告書、給与所得者の配偶者控除等申告書、所得金額調整控除申告書、給与所得者の保険料控除申告書及び給与所得者の住宅借入金等特別控除申告書
…　その年最後に給与等の支払を受ける日の前日

５　復興特別所得税（復財法30）

重要度○

年末調整は、所得税と併せて復興特別所得税についても行われる。

8－3－1 給与所得者の源泉徴収（年末調整を含む）に関する申告書

1 給与所得者の扶養控除等申告書（法194）

⑴ 国内において給与等の支払を受ける居住者は、その給与等の支払者（2以上の支払者がある場合には、主たる給与等の支払者）から毎年最初に給与等の支払を受ける日の前日までに、次の所得控除に関する事項を記載した「給与所得者の扶養控除等申告書」を、その給与等の支払者を経由して、納税地の所轄税務署長に提出しなければならない。

① 障害者控除

② 寡婦控除

③ ひとり親控除

④ 勤労学生控除

⑤ 源泉控除対象配偶者に係る控除

源泉控除対象配偶者とは、居住者（合計所得金額が900万円以下であるものに限る。）の配偶者で、その居住者と生計を一にするもの（青色事業専従者等を除く。）のうち、合計所得金額が95万円以下である者をいう。

⑥ 扶養控除

⑵ 扶養控除等申告書に記載すべき事項が、その年の前年に提出した扶養控除等申告書に記載した事項と異動がない場合には、その記載すべき事項に代えて、その異動がない旨を記載した扶養控除等申告書を提出することができる。

⑶ 年の中途において記載事項に異動を生じた場合には、異動を生じた日後、最初に給与等の支払を受ける日の前日までに、異動内容等を記載した申告書をその給与等の支払者を経由して納税地の所轄税務署長に提出しなければならない。

2 給与所得者の配偶者控除等申告書（法195の2）

国内において給与等の支払を受ける居住者は、年末調整の際に配偶者控除又は配偶者特別控除を受けようとする場合には、その年最後に給与等の支払を受ける日の前日までに、「給与所得者の配偶者控除等申告書」をその給与等の支払者を経由して、納税地の所轄税務署長に提出しなければならない。

3　給与所得者の基礎控除申告書（法195の３）

国内において給与等の支払を受ける居住者は、年末調整の際に基礎控除を受けようとする場合には、その年最後に給与等の支払を受ける日の前日までに、「給与所得者の基礎控除申告書」をその給与等の支払者を経由して、納税地の所轄税務署長に提出しなければならない。

4　所得金額調整控除申告書（措法41の３の11）

国内において給与等の支払を受ける居住者は、年末調整の際に所得金額調整控除を受けようとする場合には、その年最後に給与等の支払を受ける日の前日までに、「所得金額調整控除申告書」をその給与等の支払者を経由して、納税地の所轄税務署長に提出しなければならない。

5　給与所得者の保険料控除申告書（法196）

国内において給与等の支払を受ける居住者は、年末調整の際に次の所得控除を受けようとする場合には、その年最後に給与等の支払を受ける日の前日までに、「給与所得者の保険料控除申告書」をその給与等の支払者を経由して、納税地の所轄税務署長に提出しなければならない。

⑴　社会保険料控除（給与等から控除されるものを除く。）

⑵　小規模企業共済等掛金控除（給与等から控除されるものを除く。）

⑶　生命保険料控除

⑷　地震保険料控除

なお、一定の保険料等は、支払を証する書類を提出等しなければならない。

6　給与所得者の住宅借入金等特別控除申告書（措法41の２の２）

年末調整が行われる給与所得者は、居住供用年の翌年以後９年内（又は12年内）の各年において年末調整の際に住宅借入金等特別控除を受けようとする場合には、その年最後に給与等の支払を受ける日の前日までに、「給与所得者の住宅借入金等特別控除申告書」に税務署長から交付された証明書を添付して、給与等の支払者を経由して納税地の所轄税務署長に提出しなければならない。

8－3－2 源泉徴収に係る納期の特例

1 **原 則**（法181等）

居住者に対し国内において給与等その他一定のものの支払をする者は、その支払の際、所得税を徴収し、その徴収の日の属する月の翌月10日までに、これを国に納付しなければならない。

2 **納期の特例**（法216）

給与等の支払を受ける者が常時10人未満である源泉徴収義務者は、納税地の所轄税務署長の承認を受けた場合には、1月から6月までの期間の徴収税額については7月10日まで、7月から12月までの期間の徴収税額については翌年1月20日までに納付することができる。

3 **承認申請等**（法217①②④⑤）

⑴ **承認申請**

納期の特例の承認申請をしようとする者は、納期の特例に関する承認申請書を税務署長に提出しなければならない。

⑵ **却下することができる場合**

税務署長は、承認申請書を提出した者につき、給与等の支払を受ける者が常時10人未満であると認められないことその他一定の事実があるときは、その申請を却下することができる。

⑶ **税務署長の処分**

税務署長は、その申請につき承認又は却下の処分をする場合には、その申請をした者に対し、書面によりその旨を通知する。

但し、その提出した月の翌月末日までに承認又は却下の処分がなかったときは、同日においてその承認があったものとみなす。

4 **承認の取消し**（法217③）

税務署長は、納期の特例の適用を受けている者の給与等の支払を受ける者が常時10人未満であると認められないことその他一定の事実が生じたときは、その承認を取り消すことができる。

５　要件を欠いた場合の届出（法218）

納期の特例の承認を受けている者は、給与等の支払を受ける者が常時10人未満でなくなった場合には、遅滞なく、その旨の届出書を税務署長に提出しなければならない。

６　取消し等があった場合の納期限（法219）

承認が取消され又は上記５の届出書を提出した場合の納期限は、その取消された又は提出した月の翌月10日とする。

8−4 退職所得の源泉徴収

1　源泉徴収義務（法199）　重要度◎

居住者に対し国内において退職手当等の支払をする者は、その支払の際、その退職手当等について所得税を徴収し、その徴収の日の属する月の翌月10日までに、これを国に納付しなければならない。

2　源泉徴収を要しない場合（法200）　重要度◎

常時２人以下の家事使用人のみに対し給与等の支払をする者は、上記１にかかわらず源泉徴収を要しない。

3　源泉徴収税額（法201）　重要度◎

⑴　「退職所得の受給に関する申告書」を提出している場合

退職手当等の金額から退職所得控除額を控除した残額の２分の１相当額（特定役員退職手当等及び短期退職手当等の300万円超部分は、２分の１しない金額、千円未満切捨）を課税退職所得金額とみなして超過累進税率を適用して計算した場合の税額

⑵　同申告書を提出していない場合

退職手当等の金額の20%相当額

4　退職所得の受給に関する申告書（法203）　重要度◎

国内において退職手当等の支払を受ける居住者は、その支払を受ける時までに、「退職所得の受給に関する申告書」を、その退職手当等の支払者を経由して、納税地の所轄税務署長に提出しなければならない。

5　納税地（法17）　重要度◎

源泉徴収に係る納税地は、その支払をする者の支払事務を取扱う事務所等のその支払の日における所在地とする。

６　納期の特例（法216）

重要度○

給与等の支払を受ける者が常時10人未満である源泉徴収義務者は、納税地の所轄税務署長の承認を受けた場合には、１月から６月までの期間の徴収税額については７月10日まで、７月から12月までの期間の徴収税額については翌年１月20日までに納付することができる。

７　確定申告との関係（法120、121②）

重要度◎

居住者は、その年分の所得税額の合計額が配当控除額等を超えるときは確定申告義務があるが、その年分の退職手当等の全部について、「退職所得の受給に関する申告書」を提出し源泉徴収されている場合その他一定の場合には、その年分の課税退職所得金額に係る所得税については、確定申告を要しない。

８　復興特別所得税（復財法28）

重要度○

所得税の源泉徴収義務者は、その支払の際、所得税額の2.1%の復興特別所得税額を徴収し、法定納期限までに、これを国に納付しなければならない。

公的年金等の源泉徴収

1　源泉徴収義務（法203の２）　重要度○

居住者に対し国内において公的年金等の支払をする者は、その支払の際、その公的年金等について所得税を徴収し、その徴収の日の属する月の翌月10日までに、これを国に納付しなければならない。

2　源泉徴収税額（法203の３）　重要度○

(1)　公的年金及び恩給

公的年金等の金額から公的年金等控除額などを考慮した一定の金額を控除した残額の５％相当額

なお、その年中に支払を受けるべき公的年金等の金額が、その年最初にその公的年金等の支払を受けるべき日の前日において108万円（年齢65歳以上の者は158万円）未満の場合には源泉徴収されない。

(2)　その他の公的年金等

公的年金等の金額からその25％相当額を控除した残額の10％相当額

3　納税地（法17）　重要度○

源泉徴収に係る納税地は、その支払をする者の支払事務を取扱う事務所等のその支払の日における所在地とする。

4　災害減免法による還付等（災免法３③）　重要度○

公的年金等の支払を受ける者で、災害により住宅又は家財に甚大な被害を受け、かつ、災害減免法に規定する合計所得金額の見積額が1,000万円以下であるものについては、災害減免法による公的年金等に係る源泉徴収の猶予又は還付の適用を受けることができる。

５　確定申告との関係（法120、121③）

重要度○

居住者は、その年分の所得税額の合計額が配当控除額等を超えるときは確定申告義務があるが、その年中の公的年金等の収入金額が400万円以下で、その公的年金等の全部について所得税の徴収をされた又はされるべき場合において、その年分の公的年金等に係る雑所得以外の所得金額が20万円以下であるときは、その年分の課税退職所得金額以外の課税所得金額に係る所得税については、確定申告を要しない。

６　復興特別所得税（復財法28、33）

重要度○

所得税の源泉徴収義務者は、その支払の際、所得税額の2.1%の復興特別所得税額を徴収し、法定納期限までに、これを国に納付しなければならない。

なお、災害減免法により還付等される税額には、復興特別所得税額が含まれる。

●　公的年金等の受給者の扶養親族等申告書

公的年金及び恩給は、源泉徴収で源泉控除対象配偶者や障害者などの控除を受けない場合には、この申告書を提出する必要はない。

源泉徴収で源泉控除対象配偶者や障害者などの控除を受けたい場合には、毎年最初に公的年金等の支払を受ける日の前日までに、この申告書を提出しなければならない。

8－5－1　支払調書・源泉徴収票

1　支払調書（法225）

⑴　提出義務

次の支払をする者は、その調書を、支払確定年の翌年１月31日まで（配当等は、支払確定日から１月以内）に税務署長に提出しなければならない。

① 利子等、配当等

② 報酬、料金等

③ 不動産の使用料等（一定のものに限る。）

④ その他一定のもの

⑵　提出を要しない場合

同一人への１年間の支払金額が一定額以下などの場合には、提出を要しない。

2　源泉徴収票（法226）

⑴　給与等の源泉徴収票

給与等の支払者は、給与等について、源泉徴収票２通を作成し、その年の翌年１月31日までに、１通を税務署長に提出し、他の１通を受給者に交付しなければならない。

⑵　退職手当等の源泉徴収票

退職手当等の支払者は、退職手当等について、源泉徴収票２通を作成し、退職の日から１月以内に、１通を税務署長に提出し、他の１通を受給者に交付しなければならない。

⑶　公的年金等の源泉徴収票

公的年金等の支払者は、公的年金等について、源泉徴収票２通を作成し、その年の翌年１月31日までに、１通を税務署長に提出し、他の１通を受給者に交付しなければならない。

⑷　税務署長への提出を要しない場合

年末調整を受けた給与等の額が500万円（役員は150万円）以下である場合などの場合には、税務署長への提出を要しない。

⑸　源泉徴収票の電子交付

源泉徴収票は、受給者の承諾を得た場合には、書面に代えて、電磁的方法で交付することができる。

3　e-Tax等による提出

支払調書及び源泉徴収票は、一定の手続により、書面に代えて、e-Taxなどにより提出することができる。

予定納税制度

（注）予定納税額の減額承認申請を除く

■趣　旨■

この規定は納税の便宜、歳入の確保及び平準化を考慮して設けられている。

1　予定納税額の納付　重要度◎

(1)　一般の場合（法104）

居住者（下記(2)に該当する者を除く。）は、予定納税基準額が15万円以上である場合には、第１期（その年７月１日から７月31日までの期間をいう。）及び第２期（その年11月１日から11月30日までの期間をいう。）において、それぞれその予定納税基準額の３分の１相当額（百円未満切捨）の所得税を国に納付しなければならない。

(2)　特別農業所得者の場合（法２①三十五、107、110）

①　前年において特別農業所得者であった居住者及びその年において特別農業所得者であると見込まれることについて税務署長の承認を受けた居住者は、予定納税基準額が15万円以上である場合には、第２期において、その予定納税基準額の２分の１相当額（百円未満切捨）の所得税を国に納付しなければならない。

②　特別農業所得者とは、その年において農業所得の金額が総所得金額の70%を超え、かつ、その年９月１日以後に生ずる農業所得の金額がその年中の農業所得の金額の70%を超える者をいう。

③　前年において特別農業所得者であったかどうかの判定は、その年５月１日において確定しているところによる。

④　上記①の承認を求めようとする居住者は、その年５月15日までに、一定の申請書を納税地の所轄税務署長に提出しなければならない。

なお、税務署長はこれに対し書面により承認又は却下の通知をする。

２　予定納税基準額の意義（法104）

重要度○

予定納税基準額とは、前年分の課税総所得金額（譲渡所得の金額、一時所得の金額、雑所得の金額、臨時所得の金額を除いて計算した金額）等のみで計算した申告納税額相当額をいう。

３　基準日等（法105、106、108、109）

重要度◎

⑴　予定納税基準額の計算については、その年５月15日（特別農業所得者は、その年９月15日）において確定しているところによる。

⑵　税務署長は、その年６月15日（特別農業所得者は、その年10月15日）までに、予定納税基準額並びに第１期及び第２期において納付すべき予定納税額を書面により通知する。

⑶　予定納税義務があるかどうかの判定は、その年６月30日（特別農業所得者は、その年10月31日）の現況による。

４　復興特別所得税（復財法16）

重要度○

予定納税基準額には、所得税額の2.1％の復興特別所得税額が含まれ、復興特別所得税額を含む予定納税基準額が15万円以上である場合には、復興特別所得税額を併せて納付しなければならない。

8−7 予定納税額の減額承認申請

■趣　旨■

予定納税額は、前年分の所得金額を基礎に計算するため、前年と事情が変わって所得が減少するような場合には、予定納税額の減額を認めようとするものである。

1　予定納税額の減額承認申請　重要度◎

(1)　7月減額承認申請（法111①）

予定納税額を納付すべき者は、その年6月30日の現況による申告納税見積額が予定納税基準額に満たないと見込まれる場合には、その年7月15日までに、納税地の所轄税務署長に対し、第1期（その年7月1日から7月31日までの期間をいう。）及び第2期（その年11月1日から11月30日までの期間をいう。）において納付すべき予定納税額の減額承認申請をすることができる。

(2)　11月減額承認申請（法111②）

予定納税額を納付すべき者は、その年10月31日の現況による申告納税見積額が予定納税基準額（上記(1)の承認を受けた居住者はその承認に係る申告納税見積額）に満たないと見込まれる場合には、その年11月15日までに、納税地の所轄税務署長に対し、第2期において納付すべき予定納税額の減額承認申請をすることができる。

(3)　災害減免法による減額承認申請（災免法3①）

予定納税額を納付すべき者は、その年7月1日以後に災害により住宅又は家財に甚大な被害を受け、災害減免法に規定する合計所得金額の見積額が1,000万円以下で、かつ、同法の規定を適用して計算した所得税の見積額が予定納税基準額に満たないときは、その災害のあった日から2月以内に、災害減免法による予定納税額の減額承認申請をすることができる。

2　申告納税見積額の意義（法111④）　重要度○

申告納税見積額とは、その年分の課税退職所得金額以外の課税所得金額のみで計算した申告納税額の見積額をいう。

3　予定納税基準額の意義（法104）

重要度○

予定納税基準額とは、前年分の課税総所得金額（譲渡所得の金額、一時所得の金額、雑所得の金額、臨時所得の金額を除いて計算した金額）等のみで計算した申告納税額相当額をいう。

4　申請手続（法112）

重要度○

上記１の申請をしようとする者は、申告納税見積額等を記載した申請書を納税地の所轄税務署長に提出しなければならない。

5　処　分（法113）

重要度◎

税務署長は上記４の申請書の提出があった場合には、その調査により、その申請に係る申告納税見積額を認め、若しくは申告納税見積額を定めてその申請の承認をし又はその申請を却下する。

但し、次のいずれかに該当するときは、その申請を承認しなければならない。

⑴　事業の廃止等により、申告納税見積額が予定納税基準額に満たないと認められる場合

⑵　⑴のほか、申告納税見積額が予定納税基準額の70％相当額以下と認められる場合

6　減額承認を受けた場合の予定納税額（法114）

重要度◎

減額承認を受けた場合の予定納税額は、次のそれぞれの金額とする。

但し、その承認に係る申告納税見積額が15万円未満であるときは、その承認に係る予定納税額はないものとする。

⑴　７月減額承認申請に係る第１期及び第２期の予定納税額

……その承認に係る申告納税見積額の３分の１相当額（百円未満切捨）

⑵　11月減額承認申請に係る第２期予定納税額

……その承認に係る申告納税見積額から第１期に納付すべき予定納税額を控除した金額の２分の１相当額（百円未満切捨）

7　復興特別所得税（復財法16）

重要度○

⑴　申告納税見積額及び予定納税基準額には、所得税額の2.1％の復興特別所得税額が含まれる。

⑵　復興特別所得税額についても、予定納税額の減額承認申請が認められる。

テーマ 8

◆ 計算の基準日等

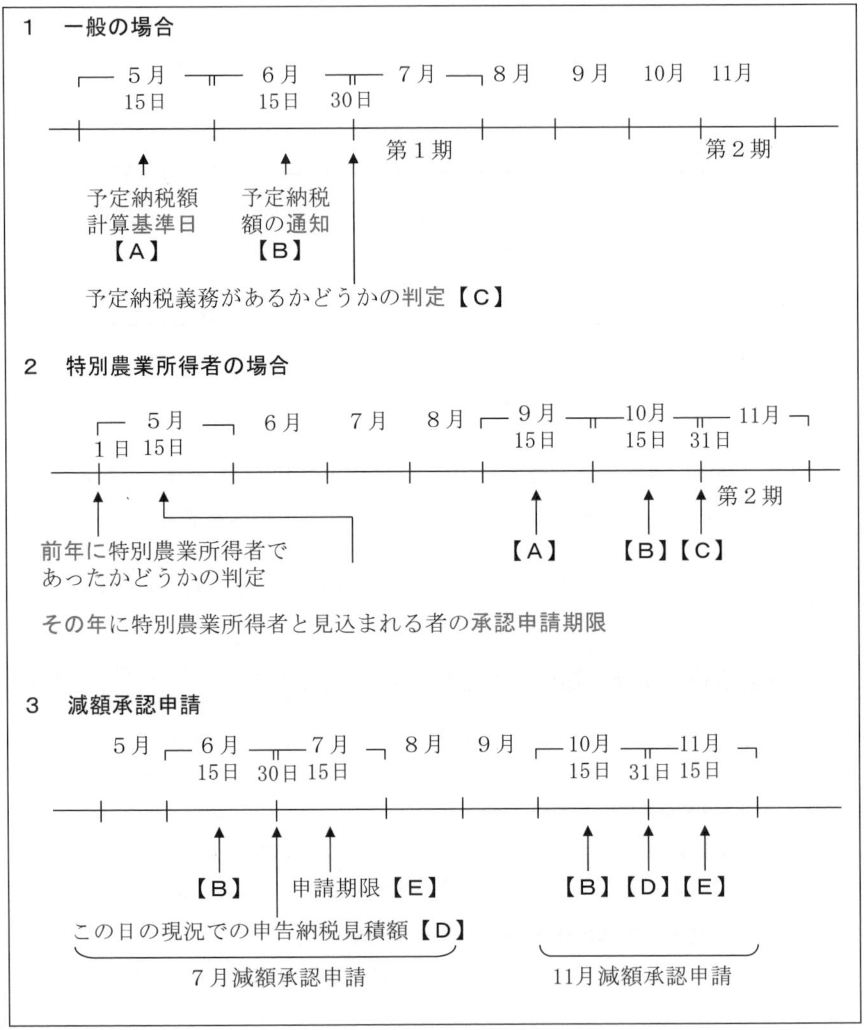

1　一般の場合

5月 15日 ／ 6月 15日 ／ 30日 ／ 7月 ／ 8月 ／ 9月 ／ 10月 ／ 11月

第1期　　第2期

予定納税額計算基準日【A】

予定納税額の通知【B】

予定納税義務があるかどうかの判定【C】

2　特別農業所得者の場合

5月 1日 15日 ／ 6月 ／ 7月 ／ 8月 ／ 9月 15日 ／ 10月 15日 31日 ／ 11月

第2期

前年に特別農業所得者であったかどうかの判定

【A】【B】【C】

その年に特別農業所得者と見込まれる者の承認申請期限

3　減額承認申請

5月 ／ 6月 15日 ／ 30日 ／ 7月 15日 ／ 8月 ／ 9月 ／ 10月 15日 ／ 31日 ／ 11月 15日

【B】　申請期限【E】　【B】【D】【E】

この日の現況での申告納税見積額【D】

7月減額承認申請　　11月減額承認申請

テーマ

9

確定申告等

9−1 確定申告の種類

1　一般の場合　　重要度◎

(1)　確定所得申告（法120）

居住者は、その年分の課税標準の合計額が所得控除額の合計額を超える場合において、各課税標準から所得控除額を控除した後の金額を各課税所得金額とみなして計算した所得税額の合計額が配当控除額及び年末調整に係る住宅借入金等特別控除額との合計額を超えるとき（所得税額の計算上控除しきれなかった外国税額控除額、源泉徴収税額又は予納税額がある場合を除く。）は、第３期において、税務署長に対し、確定申告書を提出しなければならない。

なお、下記(3)の申告書を提出する場合を除く（２又は３において同じ。）。

※　第３期とは、その年の翌年２月16日から３月15日までの期間をいう。

(2)　還付等を受けるための申告（法122）

居住者は、その年分の所得税につき所得税額の計算上控除しきれなかった外国税額控除額、源泉徴収税額若しくは予納税額があり、これらの金額の還付を受ける場合には、税務署長に対し、確定申告書を提出することができる。

なお、下記(3)の申告書を提出することができる場合を除く（２又は３において同じ。）。

また、外国所得税額等の繰越の適用を受けようとする場合で一定のときも、確定申告書を提出することができる。

(3)　確定損失申告（法123）

居住者は、次のいずれかに該当する場合において、その年の翌年以後において純損失若しくは雑損失の繰越控除の適用を受け、又は純損失の繰戻しによる還付を受けようとするときは、第３期において、税務署長に対し、確定申告書を提出することができる。

①　その年に生じた純損失の金額がある場合

②　その年に生じた雑損失の金額がその年分の課税標準の合計額を超える場合

③　その年の前年以前３年内（一定の場合は５年内）の各年に生じた純損失の金額及び雑損失の金額でその年に繰越された金額の合計額が、その年分の合計所得金額を超える場合

2　死亡の場合（法124、125）　重要度○

(1)　確定所得申告

①　上記１(1)の申告書を提出すべき居住者が、その年の翌年１月１日からその申告書の提出期限までの間にその申告書を提出しないで死亡した場合には、相続人は、その相続の開始があったことを知った日の翌日から４月以内に税務署長に対し、確定申告書を提出しなければならない。

②　居住者が年の中途で死亡した場合において、その年分の所得税について上記１(1)の申告書を提出しなければならない場合に該当するときは、相続人は、その相続の開始があったことを知った日の翌日から４月以内に税務署長に対し、確定申告書を提出しなければならない。

(2)　還付等を受けるための申告

居住者が年の中途で死亡した場合において、その年分の所得税について上記１(2)の申告書を提出することができる場合に該当するときは、相続人は、税務署長に対し、確定申告書を提出することができる。

(3)　確定損失申告

①　上記１(3)の申告書を提出することができる居住者が、その年の翌年１月１日からその申告書の提出期限までの間にその申告書を提出しないで死亡した場合には、相続人は、その相続の開始があったことを知った日の翌日から４月以内に、税務署長に対し、確定申告書を提出することができる。

②　居住者が年の中途で死亡した場合において、その年分の所得税について上記１(3)の申告書を提出することができる場合に該当するときは、相続人は、その相続の開始があったことを知った日の翌日から４月以内に税務署長に対し、確定申告書を提出することができる。

3　出国の場合（法126、127、2①四十二）　重要度○

⑴　確定所得申告

①　上記1⑴の申告書を提出すべき居住者が、その年の翌年1月1日からその申告書の提出期限までの間に出国する場合には、その出国の時までに、税務署長に対し、確定申告書を提出しなければならない。

②　居住者が年の中途で出国する場合において、その年分の所得税について上記1⑴の申告書を提出しなければならない場合に該当するときは、その出国の時までに、税務署長に対し、確定申告書を提出しなければならない。

⑵　還付等を受けるための申告

居住者が年の中途で出国する場合において、その年分の所得税について上記1⑵の申告書を提出することができる場合に該当するときは、税務署長に対し、確定申告書を提出することができる。

⑶　確定損失申告

①　上記1⑶の申告書を提出することができる居住者が、その年の翌年1月1日から2月15日までに出国する場合には、その期間内においても、税務署長に対し、確定申告書を提出することができる。

②　居住者が年の中途で出国する場合において、その年分の所得税について上記1⑶の申告書を提出することができる場合に該当するときは、その出国の時までに、税務署長に対し、確定申告書を提出することができる。

⑷　出国の意義

居住者が「出国する」とは、納税管理人の届出をしないで国内に住所及び居所を有しないこととなることをいう。

4　復興特別所得税（復財法17）　重要度○

所得税の確定申告書を提出する者は、併せて復興特別所得税の確定申告書を提出しなければならない。

参　考

●　期限後申告（国外転出時課税に関するものを除く）

1　**意　義**（国通法18）

確定申告書は、還付等を受けるための申告書を除き、提出期限までに提出しなければならないが、提出期限後においても、税務署長の決定があるまでは確定申告書を提出することができる。

2　**記載事項及び添付書類**

記載事項及び添付書類は、期限内申告書と同様である。

3　**附帯税**（国通法60、66）

⑴　**延滞税**

納付すべき税額がある場合には、延滞税が課される。

⑵　**無申告加算税**

①　納付すべき税額がある場合には、原則として無申告加算税が課される。

②　期限後申告が自発的なものであるときは、無申告加算税は減額する。

● 『確定申告の種類』の理論暗記にあたって

確定申告は、納付税額がある、還付金額がある、繰越控除をしたいなどの目的で行うものであって、**申告義務があるから確定申告をするものではない。**

したがって、**申告義務があるかどうかなどの判定**は、あまり意識しすぎる必要はない。

なお、確定申告義務者が確定申告をしなかった場合で、納付すべき税額がある場合には、**決定**される。

1　確定所得申告（確定申告義務）

申告要件のある規定を適用しないで計算した所得税額が配当控除額等を超える場合（還付税額**がある場合を除く。**）には、第３期に確定申告しなければならない。

※　確定損失申告する場合を除く。

2　確定損失申告

純損失の繰越控除等を受けようとする場合には、第３期に確定申告できる。

3　還付等を受けるための申告

源泉徴収税額の還付を受ける等の場合には、いつでも確定申告できる。

※　確定損失申告できる場合を除く。

（注）申告要件のある規定（代表例）

①　事業専従者控除
②　中小事業者の機械等の特別償却等
③　貸倒引当金等
④　固定資産の交換の場合の所得税法の特例
⑤　純損失の繰越控除
⑥　雑損失の繰越控除　など

【例示１】

事業所得	300万円	300万円	△300万円
給与所得	――	――	200万円
所得控除	200万円	400万円	200万円
	課総　100万円	課総　0 円	純損失　100万円
	税額　５万円	予定納税額あり	繰越控除したい場合
	⇩	⇩	⇩
	確定所得申告	還付等を受けるための申告	確定損失申告
	（義務、期限あり）	（任意、期限なし）	（任意、期限あり）

【例示２】

⑴	事業所得の金額	2,000,000円
⑵	前年発生の雑損失の金額の本年への繰越額	3,000,000円
⑶	所得控除額	1,400,000円

⑴　2,000,000円 ＜ 3,000,000円　∴　確定損失申告できる

⑵（2,000,000円－1,400,000円）×５％ ＝30,000円

∴　確定損失申告する場合を除き、確定申告義務あり

【例示３】

⑴	事業所得の金額	2,000,000円
⑵	所得控除額	3,000,000円
⑶	予定納税額	400,000円

⑴　2,000,000円 － 3,000,000円 ＜ 0

∴　確定申告義務なし、かつ、確定損失申告できない。

⑵　予定納税額 400,000円の還付を受けるために、還付等を受けるための申告ができる（**期限がないため、翌年１月１日以降いつでも申告できる。**）。

9−2 確定所得申告（死亡・出国の場合を除く）

1　確定申告義務（法120）　重要度◎

居住者は、その年分の課税標準の合計額が所得控除額の合計額を超える場合において、各課税標準から所得控除額を控除した後の金額を各課税所得金額とみなして計算した所得税額の合計額が配当控除額及び年末調整に係る住宅借入金等特別控除額との合計額を超えるとき（所得税額の計算上控除しきれなかった外国税額控除額、源泉徴収税額又は予納税額がある場合を除く。）は、第３期において、税務署長に対し、確定申告書を提出しなければならない。

なお、確定損失申告に規定する申告書を提出する場合を除く。

※　第３期とは、その年の翌年２月16日から３月15日までの期間をいう。

2　給与所得を有する者の特例（法121①、災免法３⑥）　重要度◎

その年において給与所得を有する居住者で**その年中に支払を受けるべき給与等の金額が2,000万円以下である**ものは、次のいずれかに該当する場合には、その年分の課税退職所得金額以外の課税所得金額に係る所得税については、**確定申告を要しない**。

但し、**同族会社の役員等がその法人から給与等のほか資産の使用料等を受ける場合**及び災害減免法による源泉徴収税額の還付等を受けた場合は、この特例の適用はない。

⑴　一の給与等**の支払者から給与等の支払を受け、かつ、その**給与等の全部**について、所得税の徴収をされた又はされるべき場合**

……その年分の給与所得及び退職所得以外の所得金額が20万円以下であるとき

⑵　２以上の給与等**の支払者から給与等の支払を受け、かつ、その**給与等の全部**について、所得税の徴収をされた又はされるべき場合**

……次のいずれかに該当するとき

①　その年分の従たる給与等の金額と給与所得及び退職所得以外の所得金額との合計額が20万円以下であるとき

②　その年分の給与等の金額が150万円と一定の所得控除額との合計額以下で、かつ、給与所得及び退職所得以外の所得金額が20万円以下であるとき

3　退職所得を有する者の特例（法121②）　重要度◎

その年において退職所得を有する居住者は、次のいずれかに該当する場合には、その年分の課税退職所得金額に係る所得税については、確定申告を要しない。

⑴　その年分の退職手当等の全部について、退職所得の受給に関する申告書を提出して所得税の徴収をされた又はされるべき場合

⑵　⑴に該当する場合を除き、その年分の課税退職所得金額に係る所得税額が、その年分の退職手当等につき源泉徴収をされた又はされるべき所得税額以下である場合

4　公的年金等を有する者の特例（法121③）　重要度◎

その年において公的年金等に係る雑所得を有する居住者で、その年中の公的年金等の収入金額が400万円以下であるものが、その公的年金等の全部について所得税の徴収をされた又はされるべき場合において、その年分の公的年金等に係る　雑所得以外の所得金額（給与所得の金額については、所得金額調整控除適用後）が20万円以下であるときは、その年分の課税退職所得金額以外の課税所得金額に係る所得税については、確定申告を要しない。

5　復興特別所得税（復財法17）　重要度○

所得税の確定申告書を提出する者は、併せて復興特別所得税申告書を提出しなければならない。

テーマ 9

参　考

●　公的年金等に係る雑所得以外の所得金額

課税標準の合計額から、公的年金等に係る雑所得の金額及び退職所得の金額の合計額を控除した金額をいう（基通121－6）。

9−3 総収入金額報告書・国外財産調書・財産債務調書

1　総収入金額報告書（法233）　重要度△

その年において不動産所得、事業所得又は山林所得を生ずべき業務を行う居住者で、これらの所得の総収入金額の合計額が3,000万円を超えるものは、一定の事項を記載した総収入金額報告書を、その年の翌年３月15日までに、税務署長に提出しなければならない。

なお、その年分の確定申告書を提出している場合を除く。

2　国外財産調書（国外送金等調書法５①）　重要度○

非永住者以外の居住者は、その年12月31日における国外財産の価額の合計額が5,000万円を超える場合には、その国外財産の種類、価額等を記載した国外財産調書を、その年の翌年６月30日までに、税務署長に提出しなければならない。

3　財産債務調書（国外送金等調書法６の２）　重要度○

次のいずれかに該当する者は、一定の事項を記載した財産債務調書を、その年の翌年６月30日までに、税務署長に提出しなければならない。

⑴　確定所得申告書を提出する者等で、退職所得金額以外の課税標準の合計額が2,000万円を超え、かつ、その年12月31日において次のいずれかに該当するもの

①　その価額の合計額が３億円以上の財産を有するとき

②　その価額の合計額が１億円以上の国外転出特例対象財産を有するとき

⑵　その年12月31日において、その価額の合計額が10億円以上の財産を有する居住者

（MEMO）

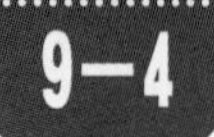

9−4 納付の原則

1　期限内申告（国通法35①）　重要度○

期限内申告書を提出した者は、納付すべき税額を、それぞれに掲げる日までに納付しなければならない。

⑴　**一般の確定申告**（法128）

……その年の翌年２月16日から３月15日まで

⑵　**死亡の場合の確定申告**（法129）

……相続人が相続の開始があったことを知った日の翌日から４月以内

⑶　**出国の場合の確定申告**（法130）

……出国の日まで

2　期限後申告、修正申告、更正又は決定（国通法35②）　重要度○

次の税額の納税者は、それぞれに掲げる日までに納付しなければならない。

⑴　**期限後申告により納付すべき税額又は修正申告による増差税額**

……　その期限後申告書又は修正申告書を提出した日

⑵　**更正又は決定により納付すべき税額**

……　その更正通知書又は決定通知書の発送日から１月以内

（MEMO）

9−5 所得税額の延納

■趣　旨■

この規定は、本来、確定申告により納付すべき税額は、その年の翌年２月16日から３月15日までの期間において納付することを原則とするが、担税力、納税の便宜等を考慮して設けられている。

１　確定申告税額の延納（法131①②）　重要度◎

確定申告書を提出した居住者が、確定申告により納付すべき税額（下記２の適用を受けようとする部分の税額を除く。）の２分の１以上の所得税をその納期限までに国に納付し、かつ、その納期限までに納税地の所轄税務署長に対し、「延納届出書」を提出したときは、その残額について、その納付した年の５月31日までの期間、その納付を延期することができる。

２　延払条件付譲渡に係る所得税額の延納（法132、133）　重要度◎

⑴　内　容

税務署長は、居住者が山林所得又は譲渡所得の基因となる資産の延払条件付譲渡をした場合において、次に掲げる要件のすべてを満たすときは、確定申告により納付すべき税額のうち延払条件付譲渡に係る税額の全部又は一部につき、その者の申請により、５年以内の延納を許可することができる。

①　その年分の確定申告書を、提出期限までに提出したこと。

②　延払条件付譲渡に係る税額が、税額控除後の所得税額の２分の１を超え、かつ、30万円を超えること。

⑵　担保の徴収

税務署長は、延納の許可をする場合には、その延納税額に相当する担保を徴さなければならない。

但し、延納税額が100万円以下で、かつ、延納期間が３年以下である場合又はその期間が３月以下である場合を除く。

⑶　延払条件付譲渡の意義

延払条件付譲渡とは、次に掲げる要件を満たす譲渡をいう。

①　賦払回数が３回以上

②　賦払期間が２年以上

③　頭金が対価の額の３分の２以下

⑷　延払条件付譲渡に係る税額

延払条件付譲渡に係る税額とは、支払期日が翌年以後に到来する延払条件付譲渡に係る賦払金の額に対応する部分の金額として、一定の方法により計算した上積税額をいう。

⑸　手続等

①　延納を申請する者は、所得税の納期限までに、「延納申請書」に担保の提供に関する書類を添付して、納税地の所轄税務署長に提出しなければならない。

②　税務署長は、①の申請書の提出があった場合には、その申請について調査し、延納の許可をし又はその申請を却下し、その申請者に対し書面によりその旨を通知する。

３　利子税の納付等（法45、131③、136）　重要度◎

⑴　延納の適用を受ける者は、延納期間の日数に応じ、一定の割合により計算した利子税を、その延納税額にあわせて納付しなければならない。

⑵　不動産所得、事業所得又は山林所得を生ずべき事業を行う居住者が納付した利子税のうち一定の金額は、その納付した年分のこれらの所得の金額の計算上必要経費に算入する。

４　復興特別所得税（復財法18）　重要度○

復興特別所得税についても、上記に準じて延納が認められる。

9−6 納税の猶予

（注）利子税の納付及び復興特別所得税を除く

1　国外転出をする場合（法137の２）　重要度○

国外転出時課税の適用を受けた者は、国外転出時までに納税管理人の届出をし、かつ、その年分の確定申告期限までに納税猶予額に相当する担保を供した場合は、５年４月（一定の届出を要件に、10年４月。以下同じ。）その納税を猶予する。

2　非居住者に贈与等した場合（法137の３）　重要度○

⑴　贈与の場合

非居住者に対する贈与（死因贈与を除く。）により国外転出時課税の適用を受けた者は、その年分の確定申告期限までに納税猶予額に相当する担保を供した場合は、５年４月その納税を猶予する。

⑵　相続又は遺贈の場合

相続又は遺贈（死因贈与を含む。）により国外転出時課税の適用を受けた者の全ての相続人が、その年分の確定申告期限までに、納税猶予額に相当する担保を供し、かつ、相続等した非居住者の全てが納税管理人の届出をした場合は、５年４月その納税を猶予する。

3　納税猶予額　重要度△

次の⑴の金額から⑵の金額を控除した金額

⑴　国外転出年分又は贈与等年分の所得税額

⑵　この適用がないものとした場合の国外転出年分又は贈与等年分の所得税額

4　申告要件等（法137の２、137の３）　重要度○

⑴　この規定は、確定申告書に、この適用を受けようとする旨の記載があり、かつ、納税猶予額の明細書等の添付がある場合に限り適用する。

但し、宥恕規定がある。

⑵　納税猶予期間中は、各年12月31日における対象資産について継続適用届出書を、その年の翌年３月15日までに、所轄税務署長に提出しなければならない。

但し、宥恕規定がある。

参　考

●　納税猶予を受けるためには

１　国外転出の場合（本人が**非居住者**）

> ①　国外転出時までに、**納税管理人**の届出
> ②　確定申告期限までに、**担保の提供**

２　非居住者に贈与等した場合

⑴　贈与の場合（本人は**居住者**）

> 確定申告期限までに、**担保の提供**

⑵　相続又は遺贈の場合（**本人は死亡**）

> ①　確定申告期限までに、**担保の提供**（相続人の全て）
> ②　確定申告期限までに、**納税管理人**の届出（相続等した非居住者の全て）

３　申告要件等

> ①　確定申告書に一定の記載、かつ、明細書等の添付
> ②　その後、**毎年**、**継続適用届出書**を、翌年３月15日までに提出

9−7 還付の原則と予納税額等の還付

１　原　則　　重要度○

⑴　還　付（国通法56、57）

税務署長等は、還付すべき金額がある場合には、これを遅滞なく金銭で還付しなければならない。

但し、未納の国税があるときは、還付に代えて、その国税に充当しなければならない。

⑵　還付加算金（国通法58）

税務署長等は、還付金を還付する場合には、還付加算金を還付金に加算しなければならない。

⑶　還付請求期間（国通法74）

還付金の請求は、その請求をすることができる日から５年経過後はすることができない。

２　確定申告による還付等　　重要度○

⑴　一般の場合（法138①、139①、復財法19）

次の記載のある確定申告書の提出があった場合には、税務署長は、その申告書を提出した者に対し、その金額を還付する。

①　外国税額控除額の控除不足額

②　源泉徴収税額の控除不足額

③　予納税額の控除不足額

予納税額は、次に掲げる金額の合計額をいう。

イ　予定納税額

ロ　年の中途で出国する場合の確定申告により納付すべき税額

※　これらの金額には、所得税額の2.1％の復興特別所得税額が含まれる。

⑵　未納源泉徴収税額（法138②、159②）

未納の源泉徴収税額があるときは、その納付があるまでは還付しない。

（MEMO）

9-8 純損失の繰戻し還付

1　一般の場合（法140①②④）　重要度◎

⑴　青色申告者は、その年において生じた純損失の金額（一定の居住用財産の譲渡損失の特例に規定する特定純損失の金額を除く。以下同じ。）がある場合には、その申告書の提出と同時に、納税地の所轄税務署長に対し、⑵の還付税額に相当する所得税（前年分の所得税額を限度とする。）の還付を請求することができる。

⑵　還付税額
①の金額から②の金額を控除した金額
① その年の前年分の課税所得金額につき前年分の税率を適用して計算した所得税額
② その年の前年分の課税所得金額からその純損失の金額の全部又は一部を控除した金額につき前年分の税率を適用して計算した所得税額

⑶　この規定は、その年の前年分の所得税につき青色申告書を提出し、その年分の青色申告書をその提出期限までに提出した場合（宥恕規定あり。）に限り、適用する。

2　事業を廃止等した場合（法140⑤）　重要度◎

⑴　居住者につき事業の全部の譲渡又は廃止その他一定の事実が生じた場合において、その事実が生じた日の属する年の前年において生じた純損失の金額について繰越控除の適用が困難となったときは、その事実が生じた日の属する年分の所得税の確定申告期限までに、納税地の所轄税務署長に対し、その純損失の金額をその事実が生じた日の属する年の前々年に繰戻して、上記1に準じて所得税（前々年分の所得税額を限度とする。）の還付を請求することができる。

⑵　この規定は、その事実が生じた日の属する年の前年分及び前々年分の所得税につき青色申告書を提出している場合に限り、適用する。

3　死亡した場合（法141）　重要度◎

⑴　死亡年に純損失の金額がある場合

年の中途で死亡した者の申告書（青色申告書に限る。）を提出する者（相続人）は、その年において生じた純損失の金額がある場合には、その申告書の提出と同時に、納税地の所轄税務署長に対し、上記1に準じて所得税（前年分の所得税額を限度とする。）の還付を請求することができる。

⑵　死亡年の前年に純損失の金額がある場合

居住者が死亡した場合において、その死亡年の前年において生じた純損失の金額があるときは、その相続人は、その居住者の死亡年分の所得税の確定申告期限までに、納税地の所轄税務署長に対し、上記2に準じて所得税（前々年分の所得税額を限度とする。）の還付を請求することができる。

4　純損失の金額の意義（法2①二十五）　重要度◎

純損失の金額とは、損益通算の対象となる損失の金額のうち、損益通算をしてもなお控除しきれない部分の金額をいう。

5　手続等（法142①②）　重要度◎

⑴　還付の請求をしようとする者は、「還付請求書」を納税地の所轄税務署長に提出しなければならない。

⑵　税務署長は、「還付請求書」の提出があった場合には、その請求について調査し、その請求をした者に対し所得税を還付し、又は請求の理由がない旨を書面により通知する。

6　還付加算金（法142③、国通法58）　重要度○

還付金については、還付金が生じた事由により定められた計算期間の日数に応じ、一定の割合で計算した還付加算金が付せられる。

参　考

● 純損失の繰戻し還付の申告要件等

1　一般の場合

その年の**前年分**の所得税につき**青色申告書**を提出し、**その年分の青色申告書をその提出期限までに提出**した場合

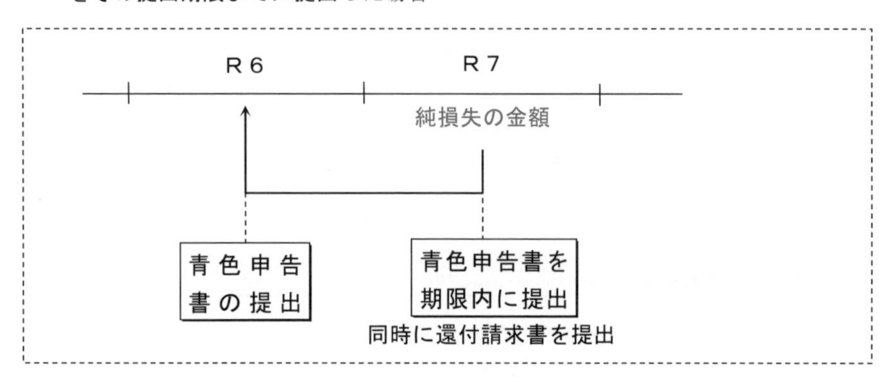

2　事業廃止等の場合

事業廃止等年の**前年分及び前々年分**の所得税につき**青色申告書**を提出した場合

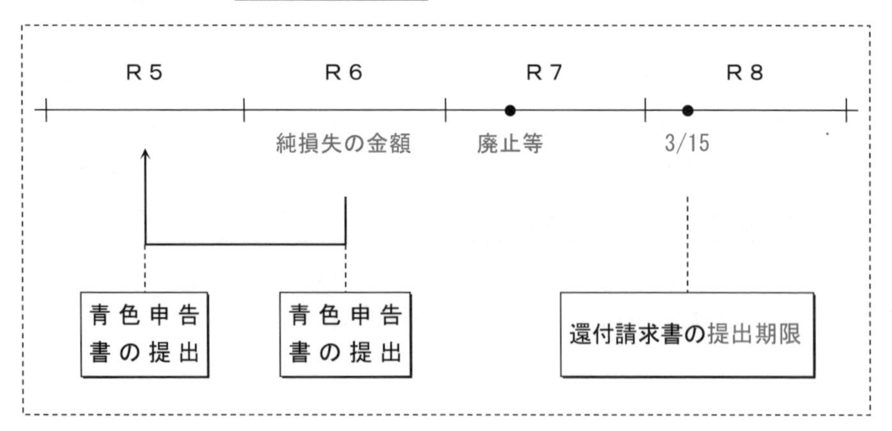

３　年の中途で死亡した場合

死亡した者が、その年の**前年分**の所得税につき**青色申告書**を提出した場合

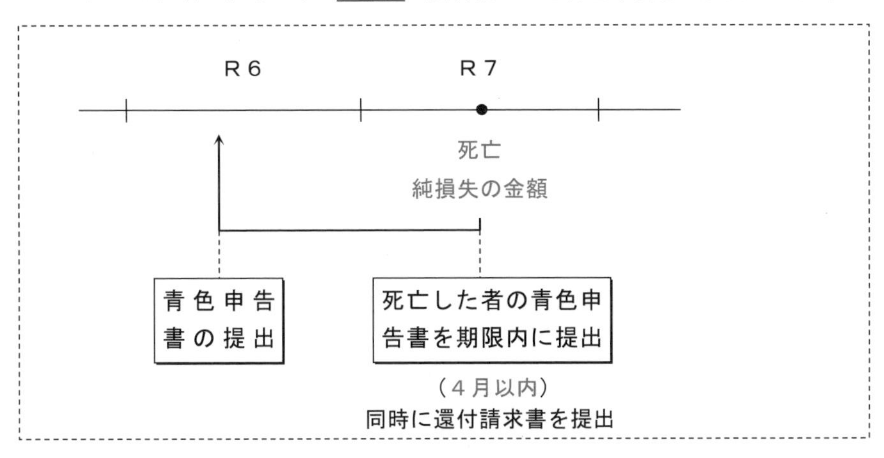

４　死亡年の前年に生じた純損失の金額がある場合

死亡年の**前年分及び前々年分**の所得税につき**青色申告書**を提出した場合

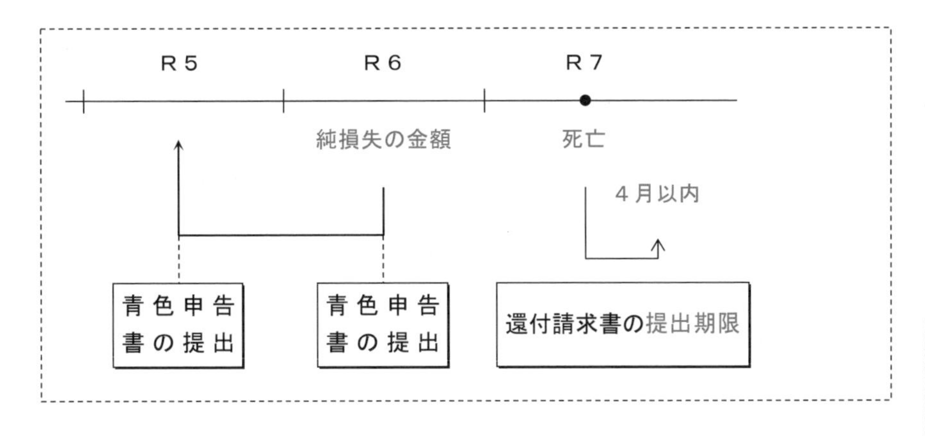

参　考

●　事業を廃止等した年の前年に純損失の金額がある場合

⑴　居住者につき事業の全部の譲渡又は廃止その他一定の事実が生じた場合において、その事実が生じた日の属する年の前年において生じた純損失の金額について繰越控除の適用が困難となったときは、その事実が生じた日の属する年分の所得税の確定申告期限までに、納税地の所轄税務署長に対し、その純損失の金額をその事実が生じた日の属する年の前々年に繰戻して、⑵の還付税額に相当する所得税（前々年分の所得税額を限度とする。）の還付を請求することができる。

⑵　**還付税額**

①の金額から②の金額を控除した金額

①　その年の前々年分の課税所得金額につき前々年分の税率を適用して計算した所得税額

②　その年の前々年分の課税所得金額からその純損失の金額の全部又は一部を控除した金額につき前々年分の税率を適用して計算した所得税額

⑶　この規定は、その事実が生じた日の属する年の前年分及び前々年分の所得税につき青色申告書を提出している場合に限り、適用する。

●　死亡年に純損失の金額がある場合

⑴　年の中途で死亡した者の申告書（青色申告書に限る。）を提出する者（相続人）は、その年において生じた純損失の金額がある場合には、その申告書の提出と同時に、納税地の所轄税務署長に対し、⑵の還付税額に相当する所得税（前年分の所得税額を限度とする。）の還付を請求することができる。

⑵　**還付税額**

①の金額から②の金額を控除した金額

①　死亡した居住者のその年の前年分の課税所得金額につき前年分の税率を適用して計算した所得税額

②　死亡した居住者のその年の前年分の課税所得金額からその純損失の金額の全部又は一部を控除した金額につき前年分の税率を適用して計算した所得税額

⑶　この規定は、死亡した居住者がその年の前年分の所得税につき青色申告書を提出し、その申告書を提出する者が青色申告書をその提出期限までに提出した場合（宥恕規定あり。）に限り、適用する。

●　死亡年の前年に純損失の金額がある場合

⑴　居住者が死亡した場合において、その死亡年の前年において生じた純損失の金額があるときは、その相続人は、その居住者の死亡年分の所得税の確定申告期限までに、納税地の所轄税務署長に対し、⑵の還付税額に相当する所得税（前々年分の所得税額を限度とする。）の還付を請求することができる。

⑵　**還付税額**

①の金額から②の金額を控除した金額

①　死亡した居住者のその年の前々年分の課税所得金額につき前々年分の税率を適用して計算した所得税額

②　死亡した居住者のその年の前々年分の課税所得金額からその純損失の金額の全部又は一部を控除した金額につき前々年分の税率を適用して計算した所得税額

⑶　この規定は、死亡した居住者が死亡年の前年分及び前々年分の所得税につき青色申告書を提出している場合に限り、適用する。

9―9 青色申告（青色申告の特典を除く）

■趣　旨■

この規定は、記帳慣習を確立し、申告納税制度の実をあげるために設けられた。

1　適用要件（法143）　重要度◎

不動産所得、事業所得又は山林所得を生ずべき業務を行う居住者は、納税地の所轄税務署長の承認を受けた場合には、確定申告書及びその申告書に係る修正申告書を青色の申告書により提出することができる。

2　承認申請等（法144〜147）　重要度◎

⑴　承認申請

その年分以後の各年分の所得税につき、青色申告の承認を受けようとする居住者は、**その年３月15日まで**（その年１月16日以後新たに業務を開始した場合には、その業務を開始した日から２月以内）に、その業務に係る所得の種類等を記載した「**青色申告承認申請書**」を納税地の所轄税務署長に提出しなければならない。

⑵　却下することができる場合

税務署長は、⑴の申請書を提出した居住者につき、**青色申告の承認の取消しの通知を受け又は青色申告の取りやめの届出書を提出した日以後１年以内に**その申請書を提出したことその他一定の事実があるときは、**その申請を却下すること**ができる。

⑶　税務署長の処分

税務署長は、⑴の申請につき**承認又は却下の処分**をするときは、その申請者に対し書面によりその旨を通知する。

但し、その承認を受けようとする年の**12月31日**（その年11月１日以後新たに業務を開始した場合には、その年の翌年２月15日）までに処分がなかったときは、**その日**において承認があったものとみなす。

3　記帳義務（法148、規56、57）　重要度◎

⑴　青色申告者は、帳簿書類を備え付けて、これにその業務に係る所得の金額に係る取引を記録し、かつ、その帳簿書類を保存しなければならない。

⑵　帳簿書類は、**複式簿記**による記帳を原則とするが、**簡易帳簿**によることも認められる。

４　添付書類（法149）　重要度◎

青色申告書には貸借対照表、損益計算書その他その業務に係る所得の金額又は純損失の金額の計算に関する明細書を添付しなければならない。

なお、簡易帳簿等による場合は、貸借対照表の添付の必要はない。

５　青色申告の取消し（法150）　重要度◎

税務署長は、青色申告者について、帳簿書類について税務署長の指示に従わなかったことその他一定の事実がある場合には、その事実があった年までさかのぼってその承認を取り消すことができる。

なお、取り消された年分以後に提出した青色申告書は、青色申告書以外の申告書とみなす。

６　青色申告の取りやめなど（法151）　重要度◎

⑴　青色申告の取りやめ

青色申告者は、その年分以後の各年分の所得税につき、青色申告書の提出をやめようとするときは、その年の翌年３月15日までに、取りやめの届出書を、納税地の所轄税務署長に提出しなければならない。

⑵　青色申告の失効

青色申告者が業務の全部を譲渡し又は廃止した場合には、その廃止等をした日の属する年の翌年分以後の各年分の所得税については、青色申告の承認の効力を失うものとする。

７　復興特別所得税（復財法20）　重要度○

青色申告者は、復興特別所得税申告書及びその申告書に係る修正申告書を青色の申告書により提出することができる。

なお、青色申告の承認が取り消された場合には、取り消された年分以後に提出した復興特別所得税申告書は、青色申告書以外の申告書とみなす。

9−10 青色申告の特典

1　所得計算上の特例　重要度○

⑴　家事関連費の必要経費算入（令96）

青色申告者に係る家事関連費のうち、取引の記録等に基づいて、その業務の遂行上直接必要であったことが明らかにされる部分の金額は、その業務に係る所得の金額の計算上必要経費に算入する。

⑵　青色事業専従者給与の必要経費算入（法57①）

青色申告者が青色事業専従者に対し、「青色事業専従者給与に関する届出書」記載額の範囲内で支払った給与のうち、労務の対価として相当なものは、その事業に係る所得の金額の計算上必要経費に算入する。

⑶　各種引当金等の必要経費算入（法52②、54）

青色申告者は事業所得の金額の計算上、一括評価貸倒引当金及び退職給与引当金について、繰入限度額に達するまでの金額を必要経費に算入する。

⑷　棚卸資産の低価法による評価（令99）

青色申告者は、棚卸資産の評価方法として低価法を選定することができる。

⑸　減価償却費等の特例（措法10の３等）

青色申告者は、特別償却等が認められる。

⑹　小規模事業者の現金基準による所得計算（法67）

青色申告者で小規模事業者の現金基準選択者の総収入金額及び必要経費に算入すべき金額は、その年において収入した金額及び支出した費用の額とすることができる。

⑺　青色申告特別控除（措法25の２）

青色申告者に係る不動産所得の金額、事業所得の金額又は山林所得の金額は、これらの所得の金額から、**最大10万円**（不動産所得又は事業所得を生ずべき事業を営む者で取引を詳細に記録している場合で一定のときは**55万円又は65万円**）を控除した金額とする。

⑻　その他（措法28の２の２等）

債務処理計画に基づく事業用減価償却資産等の評価損失の金額の必要経費算入など。

２　純損失の繰越控除及び繰戻し還付　重要度○

⑴　繰越控除（法70等）

青色申告者は、その年の前年以前３年（一定の場合は５年）内の各年において生じた純損失の金額がある場合には、申告を要件に、これをその年分の課税標準の計算上控除する。

⑵　繰戻し還付（法140）

青色申告者は、その年において生じた純損失の金額がある場合には、一定の手続を要件に、これを前年に繰戻して所得税の還付を請求することができる。

３　税額控除等（措法10の３等）　重要度○

青色申告者は、中小事業者の機械等の税額控除などの適用を受けることができる。

４　更正の制限（法155）　重要度○

青色申告書に係る課税標準等の更正は、原則として、帳簿書類を調査し、その計算に誤りがあると認める場合に限りすることができる。

なお、更正通知書には、更正の理由が附記される。

9−11 青色申告特別控除

1　原　則（措法25の２①②）　重要度◎

⑴　青色申告者のその承認を受けている年分（下記２の適用を受ける年分を除く。）の不動産所得の金額、事業所得の金額又は山林所得の金額は、これらの所得の金額から次に掲げる金額のうちいずれか低い金額を控除した金額とする。

①　10万円

②　不動産所得の金額、事業所得の金額（社会保険診療報酬につき概算経費の適用を受けた場合には社会保険診療報酬に対応する部分の金額を除く。以下同じ。）又は山林所得の金額の合計額

⑵　⑴の控除額は、不動産所得の金額、事業所得の金額又は山林所得の金額から順次控除する。

2　特　例（措法25の２③～⑤）　重要度◎

⑴　内　容

①　青色申告者で不動産所得又は事業所得を生ずべき事業を営むもの（小規模事業者の現金基準の適用を受ける者を除く。）が、帳簿書類を備え付けて、これに、これらの所得の金額に係る一切の取引を詳細に記録している場合には、その年分の不動産所得の金額又は事業所得の金額は、これらの所得の金額から次に掲げる金額のうちいずれか低い金額を控除した金額とする。

イ　55万円（次のいずれかの要件を満たす場合には、65万円とする。）

a　その年分の仕訳帳及び総勘定元帳について、優良な電子帳簿の要件を満たしており、一定の届出書を税務署長に提出していること。

b　その年分の確定申告書、貸借対照表及び損益計算書等の提出を、その提出期限までに、電子申告（e-Tax）していること。

ロ　不動産所得の金額又は事業所得の金額の合計額

②　①の控除額は、不動産所得の金額又は事業所得の金額から順次控除する。

⑵　申告要件

この規定は、e-Tax適用者を除き、確定申告書にこの規定の適用を受ける旨及び控除額の計算に関する事項の記載並びに帳簿書類に基づき作成された貸借対照表、損益計算書等の添付があり、かつ、確定申告書をその提出期限までに提出した場合に限り適用する。

(MEMO)

9−12 業務を行う者の記帳義務等

1　青色申告者の記帳義務（法148、155、規56～58、63、64）　重要度◎

⑴　青色申告者は、帳簿書類を備え付けて、これに不動産所得の金額、事業所得の金額及び山林所得の金額に係る取引を記録し、かつ、その帳簿書類を保存しなければならない。

⑵　備え付ける帳簿は、不動産所得、事業所得及び山林所得に係る一切の取引が記録できるような帳簿でなければならない。

なお、この帳簿に代えて損益計算書が作成できる程度に簡略された簡易帳簿の備え付けでも足りる。

また、小規模事業者の現金基準選択者は、最低、現金出納帳と固定資産台帳を備え付けなければならない。

⑶　税務署長は、必要があると認めるときは、帳簿書類について、必要な指示をすることができる。

⑷　帳簿及び書類は、原則として７年間保存しなければならない。

⑸　青色申告書に係る更正は、原則として、帳簿書類を調査し、その計算に誤りがあると認める場合に限りすることができる。

2　白色申告者の記帳義務等（法232）　重要度◎

⑴　その年において不動産所得、事業所得又は山林所得を生ずべき業務を行う居住者（青色申告者を除く。）は、帳簿を備え付けて、これにこれらの所得に係る取引のうち総収入金額及び必要経費に関する事項を、簡易な方法により記録し、かつ、その帳簿を７年間（この他に作成し又は受領した帳簿及び書類は５年間）保存しなければならない。

⑵　その年において雑所得を生ずべき業務を行う居住者で、その年の前々年分の雑所得を生ずべき業務に係る収入金額が300万円を超えるものは、その業務に係る取引のうち総収入金額及び必要経費に関する事項を記載した現金預金取引等関係書類を５年間保存しなければならない。

⑶　これらの者に係る総収入金額及び必要経費に関する事項の調査に際しては、原則として、この帳簿・書類を検査するものとする。

参　考

●　収支内訳書の添付（法120⑥等）

1　白色申告者

その年において不動産所得、事業所得若しくは山林所得を生ずべき業務を行う居住者が確定申告書を提出する場合（青色申告書である場合を除く。）には、これらの所得に係るその年中の総収入金額及び必要経費の内容を記載した書類（**収支内訳書**）をその確定申告書に添付しなければならない。

2　雑所得を生ずべき業務を営む一定の者

その年において雑所得を生ずべき業務を行う居住者でその年の前々年分のその業務に係る収入金額が 1,000万円を超えるものが確定申告書を提出する場合には、雑所得に係るその年中の総収入金額及び必要経費の内容を記載した書類（**収支内訳書**）をその確定申告書に添付しなければならない。

9-12-1 電子帳簿等保存

1 国税関係帳簿書類の電磁的記録制度（電帳法4）

(1) 国税関係帳簿

国税関係帳簿書類の保存義務者（以下、「保存義務者」という。）は、正規の簿記の原則に従って記録される国税関係帳簿の全部又は一部について、自己が最初の記録段階から一貫して電子計算機を使用して作成する場合には、その電磁的記録をもって国税関係帳簿の備付け及び保存に代えることができる。

(2) 国税関係書類

保存義務者は、国税関係書類の全部又は一部について、自己が一貫して電子計算機を使用して作成する場合には、その電磁的記録をもって国税関係書類の保存に代えることができる。

2 国税関係書類のスキャナ保存（電帳法4）

保存義務者は、国税関係書類（決算関係書類を除く。）の全部又は一部について、その国税関係書類に記載されている事項をスキャナにより電磁的記録する場合には、その電磁的記録をもってその保存に代えることができる。

3 電子取引を行った場合（電帳法7）

保存義務者は、電子取引を行った場合には、その電子取引の取引情報に係る電磁的記録を保存しなければならない。

4 優良な電子帳簿に係る過少申告加算税の軽減（電帳法規則5）

優良な電子帳簿の要件を満たしており、一定の届出書を事前に税務署長に提出している者の、その電子帳簿に記録された内容に係る修正申告又は更正があった場合の過少申告加算税は、原則として５％相当額を軽減する。

5 優良な電子帳簿に係る青色申告特別控除（措法25の２、電帳法規則５）

上記４の届出書を税務署長に提出している保存義務者の青色申告特別控除額は、65万円の特例が受けられる。

テーマ

10

是正手続等

10－1　修正申告
10－2　更正の請求
10－3　更正又は決定
10－4　国外転出時課税に係る是正手続
10－5　不服申立て

修正申告

（注）国外転出時課税に係るものを除く

1　原　則（国通法19①②）　重要度◎

納税申告書を提出した者又は決定を受けた者は、次のいずれかに該当する場合には、その申告等について更正があるまでは、その申告等に係る課税標準等又は税額等を修正する修正申告書を税務署長に提出することができる。

⑴　納付すべき税額に不足額があるとき

⑵　純損失等の金額が過大であるとき

⑶　還付金の額が過大であるとき

⑷　納付すべき税額がないとされていた場合において納付すべき税額があるとき

2　措置法の特則（措法37の２、41の３）　重要度◎

⑴　次のいずれかに該当する者は、それぞれに掲げる日までに、税務署長に対し、修正申告書を提出しなければならない。

①　見込取得で、措置法の課税の特例等を受けた場合において、取得資産の取得価額が見積取得価額に満たないとき又は指定期間を経過したとき等
……その事由が生じた日から４月以内

②　住宅借入金等特別控除の適用を受けた者が、居住開始年の翌年以後３年以内において居住用財産の課税の特例等を受ける場合
……その特例を受ける年分の確定申告期限

⑵　⑴の修正申告書で提出期限内に提出されたものについては、原則としてこれを期限内申告書とみなす。

3　手　続（国通法19④、法143）　重要度○

⑴　修正申告書には、その申告後の課税標準等及び税額等並びに修正申告による増差税額等を記載し、一定の書類を添付しなければならない。

⑵　青色申告者は、青色の修正申告書を提出することができる。

4　修正申告の効力（国通法20）　重要度○

修正申告の効力は、増差税額についてのみ生じ、既に確定した税額部分には影響を及ぼさない。

5　附帯税（国通法60、65、66）　重要度○

⑴　**延滞税**

増差税額がある場合には、増差税額に延滞税が課される。

⑵　**加算税**

増差税額がある場合には、増差税額に過少申告加算税（期限後申告又は決定に係るものについては無申告加算税）が課される。

但し、修正申告が自主的なものであるときは、過少申告加算税は賦課されず、無申告加算税は減額される。

6　復興特別所得税（復財法20）　重要度○

青色申告者は、青色の復興特別所得税の修正申告書を提出することができる。

10−2 更正の請求

（注）国外転出時課税に係るものを除く

1　原　則（国通法23①）　重要度◎

納税申告書を提出した者は、その申告書に記載した課税標準等若しくは税額等の計算が国税に関する法律の規定に従っていなかったこと又はその計算に誤りがあったことにより、次のいずれかの事由に該当する場合には、その申告に係る法定申告期限から５年以内に限り、税務署長に対し、その申告に係る課税標準等又は税額等につき更正をすべき旨の請求をすることができる。

⑴　納付すべき税額が過大であるとき

⑵　純損失等の金額が過少であるとき又はその記載がなかったとき

⑶　還付金の額が過少であるとき又はその記載がなかったとき

2　国税通則法の特則（国通法23②）　重要度◎

納税申告書を提出した者又は決定を受けた者は、その申告等に係る課税標準等又は税額等の計算の基礎となった事実が、判決等により、その計算の基礎としたものと異なることが確定したこと等により上記１の事由に該当する場合には、その事由が生じた日の翌日から２月以内（上記１の期限後に到来する場合に限る。）に限り、税務署長に対し、更正の請求をすることができる。

3　所得税法の特則（法152、153）　重要度◎

⑴　各種所得の金額に異動を生じた場合

確定申告書を提出し又は決定を受けた者は、事業廃止後に必要経費に算入されるべき費用又は損失が生じたことその他一定の事実が生じたことにより、その申告書等に係る年分の各種所得の金額につき、上記１の事由が生じたときは、その事実が生じた日の翌日から２月以内に限り、税務署長に対し、更正の請求をすることができる。

⑵　前年分の修正申告等があった場合

修正申告書を提出し又は更正若しくは決定を受けた者は、その修正申告等に係る年の翌年分以後の決定を受けた年分の課税標準等又は税額等につき、上記１の事由が生じたときは、修正申告書を提出した日又は更正等の通知を受けた日の翌日から２月以内に限り、税務署長に対し、更正の請求をすることができる。

4　措置法の特則（措法37の２等）

重要度○

見込取得で、特定事業用資産の買換え等の特例等を受けた場合において、取得資産の取得価額が見積取得価額に対して過大となったときは、その事由が生じた日から４月以内に限り、税務署長に対し、更正の請求をすることができる。

5　手　続（国通法23③～⑤）

重要度○

⑴　更正の請求をしようとする者は、更正後の課税標準等及び税額等、更正の請求の理由等を記載した「更正請求書」を税務署長に提出しなければならない。

⑵　税務署長は、更正の請求があった場合には、その請求について調査し、更正をし、又は更正をすべき理由がない旨をその請求をした者に通知する。

⑶　税務署長は、更正の請求があった場合においても、原則として納付すべき所得税の徴収を猶予しない。

6　復興特別所得税（復財法21）

重要度○

復興特別所得税についても、上記に準じて更正の請求をすることができる。

参　考

●　所得税法の特則（前年分の修正申告等があった場合）

⑴　前　提

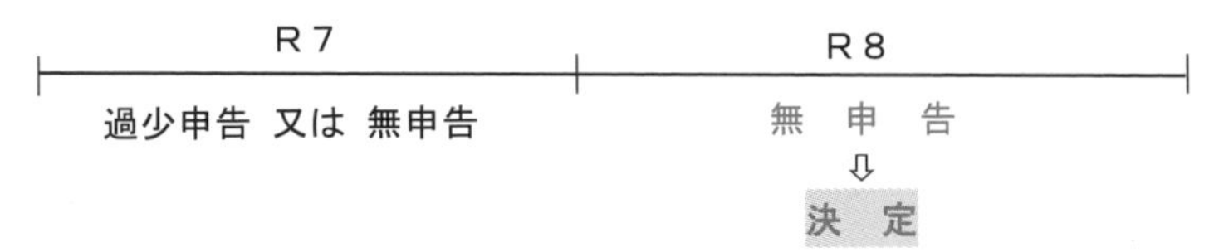

⑵　令和７年分の修正申告、更正又は決定

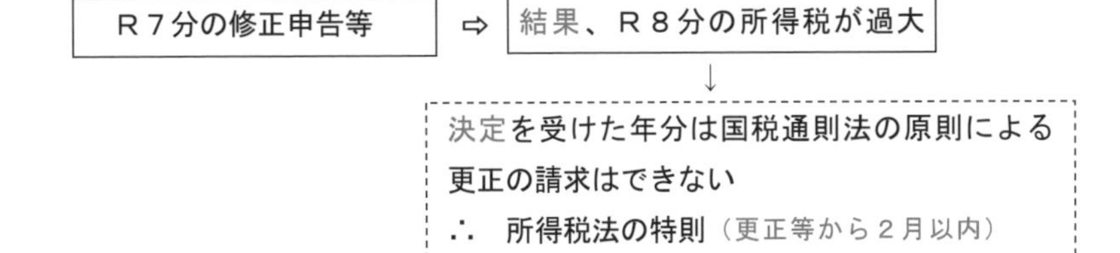

10−3 更正又は決定

（注）国外転出時課税に係るもの等を除く

1　原　則　　重要度◎

⑴　**更　正**（国通法24）

税務署長は、納税申告書の提出があった場合において、その申告書に記載された課税標準等又は税額等の計算が国税に関する法律の規定に従っていなかったとき、その他その課税標準等又は税額等がその調査したところと異なるときは、その調査によりその申告書に係る課税標準等又は税額等を更正する。

⑵　**決　定**（国通法25）

税務署長は、納税申告書を提出する義務があると認められる者がその申告書を提出しなかった場合には、その調査により、その申告書に係る課税標準等及び税額等を決定する。

但し、決定により納付すべき税額及び還付金の額に相当する税額が生じないときは、この限りでない。

⑶　**再更正**（国通法26）

税務署長は、更正又は決定をした後、その更正又は決定をした課税標準等又は税額等が過大又は過少であることを知ったときは、その調査により、再更正する。

⑷　**その他**（国通法27、28、70）

①　税務署長は、国税庁又は国税局の職員の調査に基づき、更正又は決定をすることができる。

この場合、②の通知書には、その旨を附記しなければならない。

②　更正又は決定は、「更正通知書」又は「決定通知書」を送達して行う。

③　更正又は決定は、法定申告期限から５年（不正行為がある場合は７年）を経過した日以後はできない。

2　所得税法の特則　重要度◎

⑴　更正又は決定をすべき事項の特例（法154）

上記１のほか、予定納税額又は平均課税に関する一定の事項についても更正又は決定をすることができる。

⑵　青色申告書に係る更正（法155）

①　青色申告書に係る課税標準等の更正は、原則として、帳簿書類を調査し、その計算に誤りがあると認める場合に限りすることができる。

②　①の更正通知書には、更正の理由が附記される。

⑶　推計による更正又は決定（法156）

財産・債務の状況、収入・支出の状況等から、各種所得の金額等（青色申告書に係るものを除く。）を推計して、更正又は決定をすることができる。

⑷　同族会社等の行為又は計算の否認（法157）

同族会社等の行為又は計算で、これを容認した場合にはその株主等又はその特殊関係者の所得税の負担を不当に減少させる結果となると認められるものがあるときは、更正又は決定に際し、その行為又は計算にかかわらず、課税標準等を計算することができる。

⑸　事業所の所得の帰属の推定（法158）

法人に15以上の事業所があり、その３分の２以上の事業所の主宰者が、前にその事業所において個人として同一事業を営んでいた事実がある場合には、各事業所の取引の全てがその法人の名で行われているときを除き、各事業所の主宰者がその各事業所の収益の享受者と推定して、更正又は決定をすることができる。

3　措置法の特則（措法37の２等）　重要度○

租税特別措置法により修正申告書の提出が義務づけられている場合において、その提出期限までにその修正申告書の提出がないときは、税務署長は、その特例の適用を受けた年分の所得税を更正する。

4　復興特別所得税（復財法22）　重要度○

所得税及び復興特別所得税の更正又は決定は、併せて行われる。

● 所得税法の特則の意味

1　更正又は決定をすべき事項の特例

課税標準等又は税額等に誤りがない場合であっても、予定納税や平均課税に必要な事項（所得区分等）が異なっているときは、更正等ができる。

※　雑所得とされていたものを事業所得とする更正など

2　青色申告書に係る更正

青色申告者の記帳義務を尊重し、帳簿書類を調査し、記録等に誤りがない限り、更正をすることができない。

3　推計による更正又は決定

所得を間接的に推計させる各種の資料及び客観的事実（電気等の消費量等）から所得を推計して、更正等ができる。

4　同族会社等の行為又は計算の否認

同族会社等を利用した株主等の所得税を不当に減少する行為等（低額譲渡等）を正常な行為、計算に引き戻して所得計算すること（更正等）ができる。

5　事業所の所得の帰属の推定

所得税の軽減目的で法人（仮装法人）を組織し、形式的には法人を装っているが、実質的には個人が事業を営んでいると認められる場合は、その実質で更正等ができる。

(MEMO)

10−4 国外転出時課税に係る是正手続

（注）取得費の額に変更があった場合等を除く

1　修正申告（法151の２等）　重要度△

⑴　国外転出をした者が帰国等した場合

国外転出をした者で国外転出時課税の適用を受けた者は、国外転出の日から５年（又は10年）以内に帰国等したことにより、その課税標準等又は税額等が過少であるときは、帰国等した日から４月以内に、税務署長に対し、修正申告書を提出することができる。

⑵　非居住者である受贈者等が帰国等した場合

非居住者に対する贈与等により国外転出時課税の適用を受けた者は、非居住者である受贈者等が、贈与等の日から５年（又は10年）以内に帰国等したことにより、その課税標準等又は税額等が過少であるときは、帰国等した日から４月以内に、税務署長に対し、修正申告書を提出することができる。

⑶　遺産分割等があった場合

国外転出時課税の適用を受けた者の遺産分割等があり、非居住者に移転した対象資産が増減したことにより、修正申告の事由が生じた場合には、遺産分割等があった日から４月以内に、税務署長に対し、修正申告書を提出しなければならない。

2　更正の請求（法153の２等）

重要度△

⑴　国外転出をした者が帰国等した場合

国外転出をした者で国外転出時課税の適用を受けた者は、国外転出の日から５年（又は10年）以内に帰国等したことにより、その課税標準等又は税額等が過大であるときは、帰国等した日から４月以内に、税務署長に対し、更正の請求をすることができる。

⑵　非居住者である受贈者等が帰国等した場合

非居住者に対する贈与等により国外転出時課税の適用を受けた者は、非居住者である受贈者等が、贈与等の日から５年（又は10年）以内に帰国等したことにより、その課税標準等又は税額等が過大であるときは、帰国等した日から４月以内に、税務署長に対し、更正の請求をすることができる。

⑶　遺産分割等があった場合

国外転出時課税の適用を受けた者の遺産分割等があり、非居住者に移転した対象資産が増減したことにより、更正の請求の事由が生じた場合には、遺産分割等があった日から４月以内に、税務署長に対し、更正の請求をすることができる。

参　考

● **附帯税の概要**（利子税及び延滞税の割合は、作成時の特例割合等による）

⑴　**延納した場合** 　　利子税（年0.9%） ⑵　**期限内申告しなかった場合** 　①　期限後申告 …　延滞税　＋　無申告加算税（原則15%、自主的なら５%） 　②　決　定　　 …　延滞税　＋　無申告加算税（原則15%） ⑶　**過少申告の場合** 　①　修正申告　 …　延滞税　＋　過少申告加算税（原則10%、自主的なら無し） 　②　更　正　　 …　延滞税　＋　過少申告加算税（原則10%）

1　**利子税**（国通法64、法131③、136、措法93）

延納した場合には、延納税額に延納期間の日数に応じ、年0.9%で計算した利子税が課される。

2　**延滞税**（国通法60、措法94）

⑴　次の場合には、延滞税が課される。

①　期限内申告による納付税額などを法定納期限までに完納しないとき

②　期限後申告、修正申告、更正又は決定による納付税額があるとき

⑵　延滞税額は、法定納期限の翌日から完納する日までの期間の日数に応じ、未納税額に年8.7%（最初の２月間は、年2.4%）で計算した金額とする。

3　**加算税**

⑴　**過少申告加算税**（国通法65）

期限内申告をした場合において修正申告又は更正があったときは、原則として増差税額の10%の過少申告加算税が課される。

但し、修正申告が自主的な場合は課されない。

⑵　**無申告加算税**（国通法66）

①　次の場合には、原則として納付税額の15%、20%又は30%の無申告加算税が課される。

　但し、期限後申告又は修正申告が自主的な場合は５%とされる。

イ　期限後申告又は決定があった場合

ロ　イの後に、修正申告又は更正があった場合

②　法定納期限までに全額を納付し、１ヶ月以内に期限後申告しているときは、課されない。

⑶　**不納付加算税**（国通法67）

源泉徴収税額を法定納期限までに完納しなかった場合には、原則として、納付税額の10%の不納付加算税が課される。

⑷　**重加算税**（国通法68）

隠ぺい又は仮装に基づく税額は、⑴から⑶に代えて、**35%から50%**の重加算税が課される。

4　**端数処理**（国通法118③、119④）

⑴　**附帯税の基礎となる税額**

1万円未満の端数等は、切り捨てる。

⑵　**附帯税の額**

百円未満の端数は、切り捨てる。

なお、**千円**（**加算税は5千円**）未満のときは、かからない。

●　帳簿の提示等がない場合等の加算税の加重措置

納税者が、調査に際し、帳簿の提示等をしなかった場合又は提示等された帳簿の売上金額等の記載が不十分である場合の過少申告加算税又は無申告加算税は、申告漏れ等に係る所得税の**10%**（**又は5%**）**相当額を加算**する。

●　繰り返し無申告の場合等の加算税の加重措置

前年分及び前々年分について無申告加算税又は重加算税を課された納税者が、本年分の無申告に対して課される無申告加算税又は重加算税は、**10%相当額を加算**する。

●　国外財産調書等が期限内に提出がない場合等の加算税の加重措置

国外財産調書又は財産債務調書が期限内に提出がない場合又はこれらの調書に記載すべき財産若しくは債務の記載がない場合において、これらの財産若しくは債務に係る修正申告、期限後申告又は更正若しくは決定があったときは、これらに係る過少申告加算税又は無申告加算税は、**5%相当額を加算**する。

●　優良な電子帳簿に係る過少申告加算税の軽減

優良な電子帳簿の要件を満たしており、一定の届出書を事前に税務署長に提出している者の、その電子帳簿に記録された内容に係る修正申告又は更正があった場合の過少申告加算税は、原則として**5%相当額を軽減**する。

不服申立て

1　再調査の請求　　重要度◎

⑴　再調査の請求ができる場合（国通法75①）

①　税務署長、国税局長の処分に不服のある者は、その処分をした者に再調査の請求をすることができる。

②　税務署長の処分で、国税局の職員によって調査されたものに不服がある者は、その国税局長に再調査の請求をすることができる。

⑵　再調査の請求期間（国通法77）

再調査の請求は、原則として処分があったことを知った日の翌日から３月以内にしなければならない。

⑶　再調査の請求に対する決定（国通法83）

再調査の請求がされた場合には、一定の審理がされ、次の決定がされる。

①　**期限後請求など不適法であるとき**

…　却下

②　**再調査の請求に理由がないとき**

…　棄却

③　**再調査の請求に理由があるとき**

…　処分の取消し又は変更

但し、請求人の不利益に変更することはできない。

2　審査請求

重要度◎

⑴　始審として審査請求ができる場合（国通法75）

①　再調査の請求ができる場合は、再調査の請求をしないで、国税不服審判所長に審査請求をすることができる。

②　国税庁長官の処分に不服のある者は、国税庁長官に審査請求をすることができる。

⑵　二審として審査請求ができる場合（国通法75）

再調査の請求についての決定に不服がある者は、国税不服審判所長に審査請求をすることができる。

⑶　審査請求期間（国通法77）

①　始審としての審査請求は、原則として処分があったことを知った日の翌日から３月以内にしなければならない。

②　二審としての審査請求は、原則として、再調査決定書の送達があった日の翌日から１月以内にしなければならない。

⑷　審査請求に対する裁決（国通法98）

審査請求がされた場合には、一定の審理がされ、次の裁決がされる。

①　期限後請求など不適法であるとき

…　却下

②　審査請求に理由がないとき

…　棄却

③　審査請求に理由があるとき

…　処分の取消し又は変更

但し、請求人の不利益に変更することはできない。

⑸　裁決に不服がある場合の訴訟（国通法114）

審査請求の裁決に不服があるときは、訴訟をすることができる。

参　考

● 不服申立ての図解

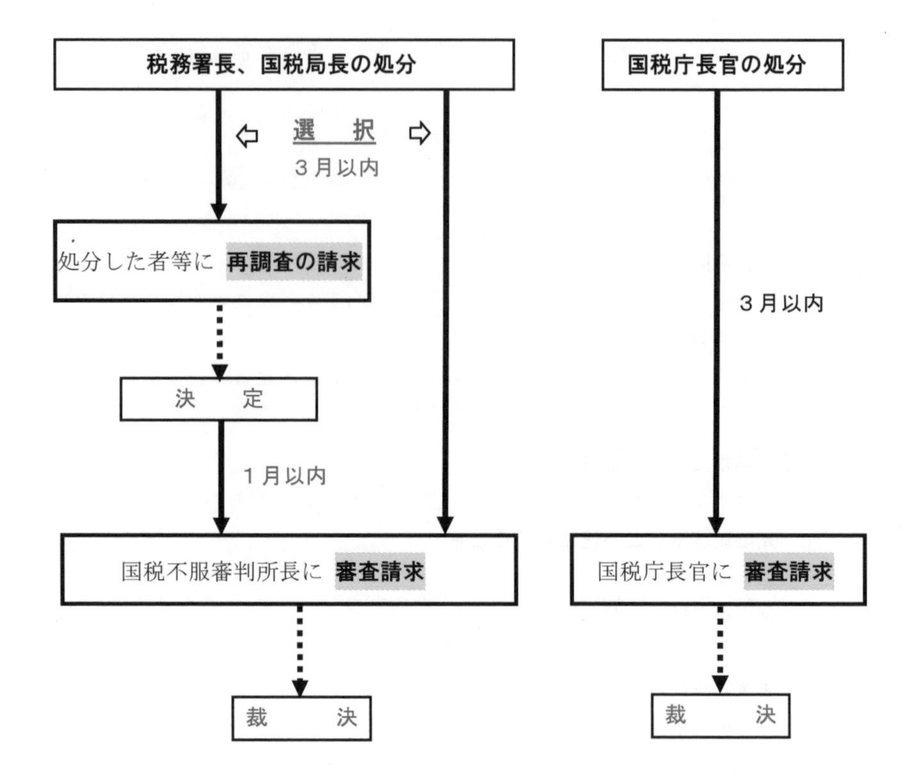
税務署長、国税局長の処分
国税庁長官の処分
選　択
3月以内
処分した者等に 再調査の請求
決　定
1月以内
国税不服審判所長に 審査請求
裁　決
3月以内
国税庁長官に 審査請求
裁　決

（MEMO）

参考1　条文を読む上で注意すべき用語

法律用語には、「慣用語」という特別な意味をもった言葉がある。

条文の意味を理解するためには、「慣用語」について充分な知識を持っていることが要求される。

1　「みなす」「推定する」

「みなす」　⇨ ある事物と性質が異なる事物を、法律関係では同一視することをいう。なお、反証は認められない。

「推定する」⇨ ある事物と性質が同一であるか異質であるかは不明な他の事物を一応法律上同一視することをいう。したがって、反証があれば、同一視する法律効果は生じないこととなる。

> 「みなす」　⇨ その超える部分の金額は、剰余金の配当等と**みなす**（法25①）。
>
> 「推定する」⇨ 借地権等の設定の対価の額が、地代年額の20倍以下である場合には、譲渡行為に該当しないものと**推定する**（令79③）。

2　「以上」「以下」「超」「未満」

「以上」「以下」⇨ 基準点となる数量等を含む。

「超」「未満」　⇨ 基準点となる数量等を含まない。

3　「以前」「以後」「前」「後」

「以前」「以後」⇨ 基準となる時点を含む。

「前」「後」　　⇨ 基準となる時点を含まない。

4　「又は」「若しくは」

「又は」　　⇨ 大きい選択的接続に用いる。

「若しくは」⇨ 小さい選択的接続に用いる。

> 居住者が、災害**又は**盗難**若しくは**横領により～（法62①）
>
> 災害
盗難か横領 } いずれか

5　**「及び」「並びに」**

「及び」　⇨小さい併合的接続に用いる。

「並びに」⇨大きい併合的接続に用いる。

利子所得とは、公社債**及び**預貯金の利子**並びに**合同運用信託、公社債投資信託及び公募公社債等運用投資信託の収益の分配（以下「利子等」という。）に係る所得をいう（法23①）。
（公社債**と**預貯金の利子）＋（合同運用信託**と**公社債投資信託と公募公社債等運用投資信託の収益の分配）

6　**「その他の」「その他」**

「Ａその他のＢ」⇨Ａは、Ｂの例示の１つであり、Ａは、Ｂに含まれている。

「Ａその他Ｂ」　⇨Ａは、Ｂに含まれておらず、ＡとＢは、並列状態にある。

「その他の」　「その他」

「その他の」	「その他」
Ｂ［Ａ］	Ａ／Ｂ

7　**「場合」「とき」「時」**

「場合」⇨前提条件を示す。前提条件が２つある場合には、大きい前提条件を示す。

「とき」⇨「場合」と同時に用いて、「場合」が大きい前提条件を示すのに対して、「とき」は小さい前提条件を示す。

「時」　⇨時間的な表現である。

居住者が、工事の請負をした**場合**において、その着工の年からその目的物の引渡し年の前年までの各年において工事進行基準の方法により経理した**とき**は～（法66）。
⇨工事の請負をしたという前提条件を満たした上で、工事進行基準の方法により経理するという前提条件を満たしたならば適用がある。

8 「者」「物」「もの」

「者」　⇨人格を持つ自然人（個人）及び法人を示す。

「物」　⇨人格者以外の有体物を示す。

「もの」⇨①　「者」「物」にあたらない抽象的なものを示す。

②　「で」の前にある言葉を受ける代名詞を示す。

同一生計配偶者とは、居住者の**配偶者**でその居住者と生計を一にする**もの**のうち、合計所得金額が48万円以下である**者**をいう（法２①三十三）
⇨この場合の「もの」は、居住者の配偶者と読み替えることができる。

(MEMO)

参考2　主要な所得税法の条文番号（マスター番号）

第一編　総　則

第２条　　定　義
第５条　　納税義務者（１－１）
第９条等　非課税所得（１－４等）
第12条等　実質所得者課税の原則（１－２）
第15条等　納税地（１－３）

第二編　居住者の納税義務

第１章　通　則

第21条　　所得税額の計算の順序

第２章　課税標準及びその計算並びに所得控除

第１節　課税標準

第22条　　課税標準（５－１）

第２節　各種所得の金額の計算

第23条～第35条　各種所得の種類及び各種所得の金額（２－１）

第23条　　利子所得　（２－２）
第24条等　配当所得　（２－３）
第26条　　不動産所得（２－４）
第28条　　給与所得　（２－５）
第30条等　退職所得　（２－７）
第32条　　山林所得　（２－８）
第35条　　雑 所 得　（２－９）

第36条～第38条　所得金額の計算の通則（３－１）

第39条～第44条の３　収入金額の別段の定め（３－２）

第39条～第41条　総収入金額算入（棚卸資産の家事消費など）
第42条～第44条の３　総収入金額不算入（国庫補助金など）

第45条～第57条　必要経費の別段の定め

第45条等　家事関連費等（３－４等）
第47条～第50条　売上原価等、減価償却等、繰延資産
第51条　資産損失（３－６等）
第52条　貸倒引当金（３－９）
第56条、第57条　同一生計親族が事業から受ける対価（３－10）

給 **第57条の２**　給与所得者の特定支出控除の特例（２－６）

譲　第57条の４　株式交換等の特例（４－６－１）
第58条　固定資産の交換の特例（４－６）
第59条等　無償等の譲渡所得等の特例（４－４）
第60条の２等　国外転出時課税の特例（４－５）
第62条　生活に通常必要でない資産の災害等による損失（４－２）

他　第63条　事業廃止後に生じた費用又は損失（３－８）
第64条　収入金額の回収不能（３－７）
第65条等　帰属時期の特例（３－３）

第３節　損益通算及び損失の繰越控除

第69条　損益通算（５－３）
第70条等　純損失の繰越控除（５－４）
第71条等　雑損失の繰越控除（５－５）

第４節　所得控除（６－１）

第72条　雑損控除（６－２）
第73条　医療費控除（６－３）
第78条　寄附金控除（６－４）
第83条　配偶者控除（６－５）
第83条の２配偶者特別控除（６－６）
第84条　扶養控除（６－７）
第86条　基礎控除　（６－７－１）
第87条　控除の順序

第３章　税額の計算

第１節　税　率

第89条　税　率
第90条　平均課税（７－１）

第２節　税額控除

第92条　配当控除（７－２）
第95条　外国税額控除（７－４）

※　**給**、**譲**、**他**は、目安として示したもので、条文上の区分等ではありません。

税理士受験シリーズ

2025年度版　36　所得税法　理論マスター

（昭和60年度版　1985年１月10日　初版　第１刷発行）

2024年８月28日　初　版　第１刷発行

編著者　ＴＡＣ株式会社（税理士講座）
発行者　多田敏男
発行所　ＴＡＣ株式会社　出版事業部（ＴＡＣ出版）
〒101-8383
東京都千代田区神田三崎町3-2-18
電話03(5276)9492(営業)
FAX 03(5276)9674
https://shuppan.tac-school.co.jp
印刷　株式会社ワコー
製本　株式会社常川製本

ISBN 978-4-300-11336-3
N.D.C. 336

税理士講座のご案内

2025年合格目標コース

反復学習でインプット強化!

豊富な演習量で実践力強化!

対象者：初学者／次の科目の学習に進む方

2024年 9月｜10月｜11月｜12月｜2025年 1月｜2月｜3月｜4月｜5月｜6月｜7月｜8月

9月入学 基礎マスター＋上級コース（簿記・財表・相続・消費・酒税・固定・事業・国徴）
3回転学習！年内はインプットを強化、年明けは演習機会を増やして実践力を鍛える！
※簿記・財表は5月・7月・8月・10月入学コースもご用意しています。

9月入学 ベーシックコース（法人・所得）
2回転学習！週2ペース、8ヵ月かけてインプットを鍛える！

9月入学 年内完結＋上級コース（法人・所得）
3回転学習！年内はインプットを強化、年明けは演習機会を増やして実践力を鍛える！

12月・1月入学 速修コース（全11科目）
7ヵ月～8ヵ月間で合格レベルまで仕上げる！

3月入学 速修コース（消費・酒税・固定・国徴）
短期集中で税法合格を目指す！

8月：税理士試験

対象者：受験経験者（受験した科目を再度学習する場合）

2024年 9月｜10月｜11月｜12月｜2025年 1月｜2月｜3月｜4月｜5月｜6月｜7月｜8月

9月入学 年内上級講義＋上級コース（簿記・財表）
年内に基礎・応用項目の再確認を行い、実力を引き上げる！

9月入学 年内上級演習＋上級コース（法人・所得・相続・消費）
年内から問題演習に取り組み、本試験時の実力維持・向上を図る！

12月入学 上級コース（全10科目）
※住民税の開講はございません
講義と演習を交互に実施し、答案作成力を養成！

8月：税理士試験

※2024年7月12日時点の情報です。最新の情報は、TAC税理士講座ホームページをご確認ください。

(2024年2月現在)

書籍のご購入は

1 全国の書店、大学生協、ネット書店で

2 TAC各校の書籍コーナーで

資格の学校TACの校舎は全国に展開!
校舎のご確認はホームページにて

資格の学校TAC ホームページ
https://www.tac-school.co.jp

3 TAC出版書籍販売サイトで

TAC 出版 で 検索

24時間ご注文受付中

https://bookstore.tac-school.co.jp/

新刊情報をいち早くチェック!

たっぷり読める立ち読み機能

学習お役立ちの特設ページも充実!

TAC出版書籍販売サイト「サイバーブックストア」では、TAC出版および早稲田経営出版から刊行されている、すべての最新書籍をお取り扱いしています。
また、会員登録(無料)をしていただくことで、会員様限定キャンペーンのほか、送料無料サービス、メールマガジン配信サービス、マイページのご利用など、うれしい特典がたくさん受けられます。

サイバーブックストア会員は、特典がいっぱい!(一部抜粋)

通常、1万円(税込)未満のご注文につきましては、送料・手数料として500円(全国一律・税込)頂戴しておりますが、1冊から無料となります。

専用の「マイページ」は、「購入履歴・配送状況の確認」のほか、「ほしいものリスト」や「マイフォルダ」など、便利な機能が満載です。

メールマガジンでは、キャンペーンやおすすめ書籍、新刊情報のほか、「電子ブック版TACNEWS(ダイジェスト版)」をお届けします。

書籍の発売を、販売開始当日にメールにてお知らせします。これなら買い忘れの心配もありません。

2025年度版 税理士試験対策書籍のご案内

TAC出版では、独学用、およびスクール学習の副教材として、各種対策書籍を取り揃えています。学習の各段階に対応していますので、あなたのステップに応じて、合格に向けてご活用ください!

（刊行内容、発行月、装丁等は変更することがあります）

●2025年度版 税理士受験シリーズ

「税理士試験において長い実績を誇るTAC。このTACが長年培ってきた合格ノウハウを“TAC方式”としてまとめたのがこの「税理士受験シリーズ」です。近年の豊富なデータをもとに傾向を分析、科目ごとに最適な内容としているので、トレーニング演習に欠かせないアイテムです。」

簿記論

01	簿記論	個別計算問題集	（8月）
02	簿記論	総合計算問題集 基礎編	（9月）
03	簿記論	総合計算問題集 応用編	（11月）
04	簿記論	過去問題集	（12月）
	簿記論	完全無欠の総まとめ	（11月）

財務諸表論

05	財務諸表論	個別計算問題集	（8月）
06	財務諸表論	総合計算問題集 基礎編	（9月）
07	財務諸表論	総合計算問題集 応用編	（12月）
08	財務諸表論	理論問題集 基礎編	（9月）
09	財務諸表論	理論問題集 応用編	（12月）
10	財務諸表論	過去問題集	（12月）
33	財務諸表論	重要会計基準	（8月）
	※財務諸表論	重要会計基準 暗記音声	（8月）
	財務諸表論	完全無欠の総まとめ	（11月）

法人税法

11	法人税法	個別計算問題集	（11月）
12	法人税法	総合計算問題集 基礎編	（10月）
13	法人税法	総合計算問題集 応用編	（12月）
14	法人税法	過去問題集	（12月）
34	法人税法	理論マスター	（8月）
	※法人税法	理論マスター 暗記音声	（9月）
35	法人税法	理論ドクター	（12月）
	法人税法	完全無欠の総まとめ	（12月）

所得税法

15	所得税法	個別計算問題集	（9月）
16	所得税法	総合計算問題集 基礎編	（10月）
17	所得税法	総合計算問題集 応用編	（12月）
18	所得税法	過去問題集	（12月）
36	所得税法	理論マスター	（8月）
	※所得税法	理論マスター 暗記音声	（9月）
37	所得税法	理論ドクター	（12月）

相続税法

19	相続税法	個別計算問題集	（9月）
20	相続税法	財産評価問題集	（9月）
21	相続税法	総合計算問題集 基礎編	（9月）
22	相続税法	総合計算問題集 応用編	（12月）
23	相続税法	過去問題集	（12月）
38	相続税法	理論マスター	（8月）
	※相続税法	理論マスター 暗記音声	（9月）
39	相続税法	理論ドクター	（12月）

酒税法

24	酒税法	計算問題+過去問題集	（2月）
40	酒税法	理論マスター	（8月）

書籍の正誤に関するご確認とお問合せについて

書籍の記載内容に誤りではないかと思われる箇所がございましたら、以下の手順にてご確認とお問合せをしてくださいますよう、お願い申し上げます。
なお、正誤のお問合せ以外の**書籍内容に関する解説および受験指導などは、一切行っておりません。**
そのようなお問合せにつきましては、お答えいたしかねますので、あらかじめご了承ください。

「Cyber Book Store」にて正誤表を確認する

TAC出版書籍販売サイト「Cyber Book Store」の
トップページ内「正誤表」コーナーにて、正誤表をご確認ください。

CYBER BOOK STORE TAC出版書籍販売サイト

URL:https://bookstore.tac-school.co.jp/

2 ❶の正誤表がない、あるいは正誤表に該当箇所の記載がない ⇒ 下記①、②のどちらかの方法で文書にて問合せをする

★ご注意ください★

お電話でのお問合せは、お受けいたしません。
①、②のどちらの方法でも、お問合せの際には、「お名前」とともに、
「対象の書籍名（○級・第○回対策も含む）およびその版数（第○版・○○年度版など）」
「お問合せ該当箇所の頁数と行数」
「誤りと思われる記載」
「正しいとお考えになる記載とその根拠」
を明記してください。
なお、回答までに1週間前後を要する場合もございます。あらかじめご了承ください。

① ウェブページ「Cyber Book Store」内の「お問合せフォーム」より問合せをする

【お問合せフォームアドレス】

https://bookstore.tac-school.co.jp/inquiry/

② メールにより問合せをする

【メール宛先　TAC出版】

syuppan-h@tac-school.co.jp

※土日祝日はお問合せ対応をおこなっておりません。
※正誤のお問合せ対応は、該当書籍の改訂版刊行月末日までといたします。

乱丁・落丁による交換は、該当書籍の改訂版刊行月末日までといたします。なお、書籍の在庫状況等により、お受けできない場合もございます。
また、各種本試験の実施の延期、中止を理由とした本書の返品はお受けいたしません。返金もいたしかねますので、あらかじめご了承くださいますようお願い申し上げます。

TACにおける個人情報の取り扱いについて
■お預かりした個人情報は、TAC(株)で管理させていただき、お問合せへの対応、当社の記録保管にのみ利用いたします。お客様の同意なしに業務委託先以外の第三者に開示、提供することはございません（法令等により開示を求められた場合を除く）。その他、個人情報保護管理者、お預かりした個人情報の開示等及びTAC(株)への個人情報の提供の任意性については、当社ホームページ(https://www.tac-school.co.jp)をご覧いただくか、個人情報に関するお問い合わせ窓口(E-mail:privacy@tac-school.co.jp)までお問合せください。

（2022年7月現在）